JN099891

鉛の魂

SOUL OF LEAD

ジョーカーから
奈良の暗殺者へ——
怨みが義になる

平井 玄
HIRAI Gen

現代書館

鉛の魂　◇目次

1 魂の夏

地球年代記

さて。

生きかえったつもりで書いてみようと思う。

生きかえる――なんてね。じつはそう大げさな言い方でもない。

この四年間で三回も肝臓がんの開腹手術を経験したからだ。お腹の真ん中あたりL字形に三〇センチ近く深いレーザーメスの傷痕が残されている。さながら人体のジッパーだ。完全麻酔だからなにもわからないが、このルートを三回ガバっと皮膚をめくって繰り広げられた（らしい）体内冒険活劇。はたから見れば二〇一七年から四年間の私は死んだも同然だった。肝細胞がんステージⅣの五年生存率は大ざっぱに四・五％（医療サイトGem Med2021より）。すでに四年前にステージⅣである。とりあえず今は息をしているのが不思議でさえある。これは医学の分子生物学的転回の賜物というべきだろうか。

そういう生命の無言劇がこの連載のひとつの伏線になると思う。DNAがどれほど加工されようと、人の生にはコピーペーストも再起動もない。ただ一回限りの即興劇である。

カズオ・イシグロの『わたしを離さないで』（土屋政雄訳、早川文庫）を今年（二〇二一年）三月に退院して読んだ。すぐそこにある未来。臓器提供のために作られたクローン人間たちのコロニーと海岸に続く田舎町の悲しくも静謐な物語である。レイ・ブラッドベリ『火星年代記』（小笠原豊樹訳、ハヤカワ文庫）がイギリスの海辺にやってきたという趣がある。隣町で秘かに生きたクローンたちの青春譚だが、書かれてすでに一六年がたつ。

もうこれはSFじゃない。

ああなんかこれはオレみたいだ。

遺伝子改造された抗ウイルス薬やがんの血路を断つ分子標的薬が全身の細胞を浸潤する。

つまり私はゲノム・レベルで改竄され再編集された霊長類亜種である。

自分はＳＦを生きているんだと感じる理由だ。『火星年代記』のエレジーはイシグロの眼差しに引き継がれた。彼の『日の名残り』（土屋政雄訳、ハヤカワepi文庫）で滅びゆくイギリス貴族を執事たちが見る眼が、クローンの少年少女に憑依する。クローンたちは何回か臓器移植されると廃棄されてしまう。その黙示録の眼差しがさらにこちらにまで転移するのである。

私たちはそういう「地球年代記」を生きている。

「人新世」という言葉はなんだかおこがましい。人が傲慢に地球を滅ぼそうが、宇宙にとって人類史や第三惑星の消滅はゴミの焼却でしかない。生存率四・五％の毎日を生きる者の眼には、一九六〇年代のドタバタな新宿も、旧赤線の裏通りもフリーター人生も、赤に黒の混じった革命的熱情も、がん・キャリアの二〇〇〇日でなにもかもが「地球年代記」の蒼に彩られて見えるようになった。どうやら火星に水はないようだが、今この時間が、海に沈みゆく列島で一人の男系極東人が腫瘍に喰われる前のつかの間の静けさなのか、それとも長い夏休みに似た寛解の時間に入ったのか。

私にはまるで定かではない。

ハーレムの真夏

まあそんなこんなで、いきなり『サマー・オブ・ソウル』の映画でいこう。

一九六九年の六月二九日から八月二四日までの日曜日の六日間、ニューヨークの黒人街ハーレム、マウント・モリス公園で開かれた無料のコンサート「ハーレム・カルチュラル・フェスティバル」の記録映像である。

ついに観た！

そしてそして、切なかった。

この映画のことなら一〇〇時間だって喋りたおしたい。

コロナだろうが、がんだろうが、かまわず久しぶりに映画館に足を運んだのである。

そのことを書こう。

スティーヴィー・ワンダー、B・B・キング、マヘリア・ジャクソン、グラディス・ナイト＆ザ・ピップス、マックス・ローチ、ニーナ・シモン、スライ＆ザ・ファミリーストーンなどなどなど。

ブラック・ミュージックの夜空に輝く星たちが、いつなにが起きるかわからない黒人たちの鉄火場ハーレムの中心地、後にマーカス・ガーヴェイ公園と名を変える場所で歌い踊る。

そのドキュメンタリーである。半世紀にわたって眠っていた映像が蘇ったのである。

六九年の秋、当時まさに黒人音楽の世界に向けて爆進していた極東少年はこのニュースを小耳に挟む。『ニュー・ミュージック・マガジン』のニュース欄だったか。挟んだがそのまま脳の襞に畳み込まれて五〇年が過ぎる。

同時進行する青空の下のウッドストック・フェスに大した興味は湧かなかったが、ハーレムで起きることは想像がつく。買売春と薬と暴力に溺れた女たちと三国人ヤクザの息遣いがベニヤ板を通して夜ごと聞こえてくる。そんないかがわしい裏通りに暮らすガキにはウッドストックのsummer of loveなんてどこ吹く風である。ハーレムのマウント・モリス公園から九六マイル、車で二時間の草原で開かれた音楽祭のほうは八月一五～一八日の三日間で約五〇万人。黒人街のsummer of soulは六日間で約三〇万人といわれる。

ハーレムの音楽祭にはアルバート・アイラーもマイルス・デイヴィスも出ていない。ミンガスもいない。ローチだけが叩く。ソウル系の顔は多いが、ジェイムス・ブラウンもジミ・ヘンドリックスだって出ていないのである。もうオーティス・レディングはこの世にいない。両方のフェスで顔が見えるのはスライ・ストーンのグループだけだ。

それがなんで、五〇年後に観る者の頭脳をこれほど加熱するのか？

往時のハーレム共同体が孕んだ深みがギラっと覗くからだ。

冒頭から当時ニューヨーク市長のジョン・リンゼイがスクリーンに現れる。前日の六月二八日からマンハッタン南部のグリニッジ・ヴィレッジではストーンウォール暴動が続いている。ゲイたちの反乱だ。一九六八年にキング師暗殺、貧者の行進、ロバート・ケネディ暗殺、シカゴ民主党大会衝突と続いた六〇年代の騒乱ナラティブを繰り返すのは、もういいだろう。勘弁してほしい。その先の先を見抜くためにこの連載はあるんだから。

いくつかの記録だけを列挙しよう。ブラックパンサー党はこの年すでに党員五〇〇〇人を超え、全米の支部は四〇に達し機関紙発行部数は四〇万部といわれる。議長ボビー・シールがシカゴ騒乱で起訴されたのは三か月前の三月二〇日。他の白人被告とは別にただ一人分離され独房にいた。リンゼイ市長は共和党員である。大統領リチャード・ニクソンの配下だ。

FBI長官エドガー・フーヴァーによる対敵諜報行動計画「コインテルプロ」は黒人運動に敵対して全力で発動されている。その要衝がハーレム。四年前に暗殺されたマルコムXを現場でガードしていた側近もじつはFBIの潜入者である。もっとも彼は接するほどにマルコムに本当に惹かれていく。追撃を防ぐために思わず身を投げたという事実が明らかになったのはつい最近だ。

FBIがNation of Islamニューアーク支部を操って襲撃を誘導した傍証はもはや山積みになって

いる（Netflixドキュメント『マルコムX暗殺の真相』を参照）。

ハーレムのフェスが幕を閉じて三か月後、一九六九年一二月四日にパンサー党イリノイ州代表フレッド・ハンプトンを銃殺したことが、コインテルプロ最大の成果といわれる。ゲットーのギャングにも信頼された彼こそプエルトリカンのヤングローズ党や先住民たちとパンサーたちが手を結ぶ要にいた人物だった。政治警察ＦＢＩの触手は第三世界革命の中心部に届いていたのである。共和党政権下で壊滅工作は強力に進行していた。

リズムの惑星

スクリーンに眼を戻そう。

コンサートを称え黒人たちの公民権を支持する市長の姿がクローズアップされる。繰りかえせば共和党員である。さらにカメラが引いていくと銃を手にしたパンサーたちが映る。黒いベレー帽に黒革のジャンパーと手袋で会場の高所に立って全体をガードしているのである。

このシーンにぶっ飛ぶ。これに驚かなければ映画など時間の無駄だ。

この綱渡りのマキャベリズムにハーレムの奥行きが見える。「自分自身を映画の中に挿入する」と監督アミール〝クエストラブ〟トンプソンはインタビューで応えている。最初に観たときは延々と続く長い記録映像でしかなかったという。そこからこうした形にフィルムを再構成したのは半世紀後の彼の慧眼だ。悪も善も見通す眼力を感じさせるのである。彼自身がＤＪで映像はターンテーブル、つまりこれはサンプリング作品なのである。

コンサートのプロデューサー、トニー・ローレンスの般若面も映り込んでいる。共和党リベラルの市長をあえて舞台に上げて警察とギャングスターを抑え、教会に通う敬虔な黒人たちからステップを踏む子どもたち、武装した極左活動家までが体を揺らすコンサートを企てたのは、見るからに喰えない面構えのこの人物である。ゴスペルを唱和するキリスト教徒のファミリー、目の前でキング師を殺されたジャクソン師の証言、期間中に起きたアポロ飛行船の月面着陸に「金の無駄」と言い切る黒人のインタビュー映像などなど——が次々とターンテーブルに載せられ、ステレオタイプな暴動シーンはあえて最小限に抑えられる。

映画はこうやってハーレム社会の濁った生命力を浮き彫りにしていくのである。

ステージの主役はリズムだ。脈動するブラックピープルの顔、顔、顔。

そして彼女／彼らのダンスと乱れ飛ぶ言葉たち。スター・ミュージシャンではない。

のっけからワンダーのドラム・ソロ。これがリズムの饗宴の宣言になる。Ｂ・Ｂ・キングやチェンバース・ブラザーズといった大物の後で溢れ出すのはゴスペルの大波。

それも教会に通う地元の黒人たちしか知らないようなファミリー合唱グループが続く。

日比谷野外音楽堂に似た簡素なステージからコーラスの大音声が観衆に押し寄せてくる。

これに会場のブラックピープルが揺れながら押し返すのである。

白人向けの顔をかなぐり捨てたフィフス・ディメンションのハーモニー。ステイプル・シンガーズのタフな女声デュオ。そこにマヘリア・ジャクソンが迎えられる。さらにテンプテーションズを抜けたばかりのデイヴィッド・ラフィンのmy girl。グラディス・ナイト&ザ・ピップスからスライ&ザ・ファミリーストーンへと昇りつめる。

このラインナップが黒人霊歌からゴスペル、ブルーズからR&B、モータウン、ソウル・ミュージックへたどられる黒人音楽史になっている。映像は六日間の順番通りではない。

各セットを切り張りしたコラージュなのである。

眼を見張らせるのはミュージシャンの演奏だけではない。繰り返そう。むしろこれに応える人びとの表情やファッション、ダンス・スタイルとステップの豊かさである。バンドが変わると会場の雰囲気も一変する。年齢や階層がまったく変貌するのである。DJとしての監督アミールが時間をシャッフルしてその断層を切り立たせたからだ。

このサンプリングによってハーレムの街に折りたたまれていた襞がほぐれて、喜びが爆発的に解放されるのである。

アフター・ハーレム

映像はスライの歌で折り返される。ここからキューバ出身のコンガ奏者モンゴ・サンタマリアやプエルトリコ移民のレイ・バレットのラテンのリズムへ。一九六九年にはサルサはまだラティーノたちの生活圏から出ていない。キップ・ハンラハンのアヴァンジャズ／ラテンのレーベルも現れていなかった。さらにズールーのダンサーとドラマーたちで西アフリカまで脈動が大西洋を遡っていく。

ここまで来てようやく黒人音楽の世界展開が展望される。とはいえ、いきなりのソニー・シャーロック。フリージャズの前衛ギターがsummer of soulで聴けるとは思わなかった。

これはフリーがsoul musicの一端だったその証である。さらに矢継ぎ早に登場するマックス・ローチとアビー・リンカーンのカップル。端正なモダン・ドラミングの完成者はレフトの立場を隠さない。アビーのヴォイスが呼びかけるブラック意識の意味も明らかだが、そこには公園の群衆が映されていないのである。これは監督によるジャズの受け止め方なのだろうか。

「意識と無意識」という枠組みはこの時代の欲望であり制約である。

ジャズの意識とソウルの無意識。ジャズは初めから藝術音楽と大衆藝能に引き裂かれた音楽だ。その音には二〇世紀の初め、ニューオーリンズで生まれた瞬間からカリブ――アフリカとフランスの音がまぐわう濡れ場の生々しさがある。フランツ・ファノンの思想が黒い皮膚と白い仮面のあわいで育まれた経験に通じる。コットンクラブはハーレム・ルネサンスに沸く街の真ん中でフロアは黒人禁制、すぐ傍のサヴォイは人種混合なのである。二つの場所を跳びまわり仮面を突き破ってバップジャズは爆発する。

ところがだ。黒人音楽の上澄みから派生したロックは六九年には若いブラックたちに浸透してくる。仮面も皮膚もマダラになる。ジャズを支えてきた感覚の底が抜けるのである。

一九八一年にコロンビア大学の大学院生としてハーレムの近くに住んだバラク・オバマは、通りに溢れるヒップホップ文化に面喰らうが、恋人のリベラル左派的な白人家庭にもなじめない。ケニヤ政府高官の父とユダヤ系人類学者の母の下、ハワイで育ったオバマはここから黒い音に浸り政治学に直進していく。これはエリートのアイデンティティ形成には違いない（『マイ・ドリーム　バラク・オバマ自伝』木村裕也ほか訳、ダイヤモンド社）。オバマの政策は大きな限界を残した。とはいえ無底の不安から新たな自我を作り直して普遍を再構築する姿は、パンサー党員の両親を持ち、オバマが来る一〇年前にハーレムに生まれた2PAC・シャクールもはるか下からたどった道だ。西海岸の監獄で彼は、メヒコ系トルコ人とポーランド系ユダヤ人を両親とする女性の傍らで、ネルソン・マンデラの妻の伝記を暗唱して育ったのである。

彼らはもう例外ではない。タイガー・ウッズも大坂なおみも、副大統領カマラ・ハリスも黒人上層の動き、アメリカ社会の底はもっと交雑している。マダラな皮膚と仮面は無限のヴァリエーションを獲得しただろう。

ビヨンセやケンドリック・ラマーに関心を抱く六八年オヤジは希少種だ。だが映画を観ながら、私の腹部で傷は揺れる。そして傷は呟く。summer of soul によってついに黒人音楽は二一世紀にレコンキスタしたと。

ジャズの意識性とソウルの無意識性はもう区別がつかない。黒人たちが潜り抜けたこういう一〇〇年の経験がＤＪ／監督をして映像から別の次元を引き出させたのではないか。アパルトヘイトの南アフリカからやってきたトランペッター、ヒュー・マセケラの画面が流れた後、ニーナ・シモンとスライの再登場でその次元が一挙に姿を現す。

ラストシーン近く、ニーナ・シモンは獄中の活動家から届いた一通の手紙をまるでシャウトするように読み上げた。

summer of soulの応答

——準備はいい？　ブラックのみんな、必要なことをする準備は。さあよく聞いてね。
必要なら殺す覚悟はある？　心の準備はできてる？　体の準備もできてる？
白いものをたたき潰す準備は？　ビルを燃やす準備は？
黒人のみんな、ほんとうに覚悟はできてる？

Nation of Islamを去ったマルコムはあえてハーレムに踏みとどまった。敵意を抱くかつてのブラザーが対岸のニューアークから付け狙っているのを知りながら、ハーレム共同体の深奥にアフロ－アメリカン統一機構を樹立したのは一九六四年三月八日である。智も武も聖も、凶や死や腐さえも凝集した厚みの真っただ中だった。

アレックス・ヘイリー『マルコムX自伝』（浜本武雄訳、アップリンク）で彼自身こう語っている。

昔の私が生きていた浮世の泥沼よりもさらにどん底で生きている黒人、あるいは昔の私よりももっと無知な黒人、私が経験した怒りよりももっと激しい怒りをいつも感じている黒人は、アメリカのどこを探してもいないだろうと私は思う。しかし、まっ暗闇のあとにこそ、最大の光が差す。悲嘆のきわみがあって、最大の歓喜も到来する。奴隷制と刑務所の味を知っている者こそ、自由の醍醐味を味わえるというものだ。

この「浮世の泥沼」こそハーレムである。

彼はそこから生まれるものを信じた。

そのマルコムはもういない。By Any Means Necessary. 暗殺後四年の闘いによって一義的に理解されたこの言葉を、マルコムのいない一二五丁目に届けとニーナ・シモンは歌う。その後の彼女はアメリカを去り悲痛な道を歩むのである。だが「いかなる手段を取ろうとも」の means とはゲットーの猖獗と豊熟が孕むあらゆるやり方を指したのではないか。

そしてジェントリフィケーションが進む今、ハーレムの魂の泉は枯れたのか?

スライの最後の曲「ハイヤー」は映画からの応答のひとつである。人種混淆バンドの天に抜けるリズムに、最も若い群衆が最高のテンションで押し寄せる光景が画面いっぱいに広がるのである。そしてエンドロールが流れる中で、スティーヴィー・ワンダーが司会者のスーツの袖をつかんだまま放さないという不思議なシーンが映る。オマケのジョークである。

駄々っ子よろしく布を握りしめる盲目のスティーヴィーがここで言い放つ。

——これはオレが、このオレが買ったんだぜ！

DJは「裂け目」を見出す。ニーナ・シモンのあまりにダイレクトな言葉にスティーヴィーとスライの二つのシーンを衝突させたところに、監督アミール・トンプソンの「アフター・ハーレム」への呼びかけを感じたい。Black Lves Matter はハーレムから始まったわけではない。どこからでもない。BLMは「場所なきメタ民族コミューン」の夢を育んだのか？沈みゆく列島の街で私はそういう声を聴き取ったのである。

これがこのシリーズのテーマになるだろう。

（二〇二一年一〇月）

2 ジョーカーたちはいつも行き先を間違える

ジョーカーたち

二〇二一年一〇月三一日、衆議院選挙の投票が進む最中に映画『ジョーカー』（トッド・フィリップス監督）を模倣した凶行が起きた。言わずと知れた、京王線車内での刺傷放火事件のことである。

まだ記憶の回路に点滅していることだろう。

犯罪消費のスピードは上がっている。警察白書的に言うなら、この犯行そのものは浜の真砂に紛れる「事案」報告の一ページにすぎない。残されるのは鉄道と警察によるますます緊密なポリーシング強化と監視テクノロジーの高度化ばかり。さらに憲法一一条・一二条（基本的人権）無効化へのささやかな寄与だろう。

ネット便所に殴り書きされた罵詈雑言もあっという間に便器に流されてしまう。実行者も被害者もともども顔や実名がネット苦界にさらされた末に、もやもやと脳の深海に沈む。しばらくしてまた次の火種が発火すると、ゴミ袋が岩礁に流れ着くように事件は蒸し返される。この繰り返しだ。胸を突き刺され、腹を抉られ、火を放たれた者たちの無念が晴れることは決してないのである。

しかし。

先行する不穏な出来事はいくつもあるが、以下の二例に絞ろう。三か月前の八月六日に起きた小田急線刺傷事件とこの事件である。被害者たちにはあえて触れない。

小田急線事案の容疑者は青森県五所川原市生まれだが、都内世田谷育ちで、当時はよみうりランドのある川崎市多摩区西生田のワンルームに住んでいた大学卒三六歳。白い出窓のある小さなマンションだ。木造モルタルの古アパートではない。前職は無菌密閉工場のノルマ労働でバイトたちに「地獄」といわれるパン製造ライン勤務。もう一人の京王線のほうは福岡県福岡市東部に生まれ育ち、地元高校卒の二四歳。出身地の詳細は不明だが、高校のある場所はかつて海軍需要で栄えた炭鉱町で現在は福岡のベッドタウン粕屋町。マンガ喫茶に次ぐ前職はコールセンター業務。この仕事はクレーム処理専門でマニュアル労働の典型である。

パン工場とコールセンター。そこで働けば、じきに心が「石」になるのは底で生きる人間たちには知られたことだ。

だが、もうそんなことは聞き飽きている。

生きている砂

彼らは誰でもない。

二人とも母子家庭で成長した不安定な非正規ワーカーという社会的な属性の大海にたちまち消えてしまう、その一滴なのだ。都立大附属高校と福岡魁誠高校、一二歳の年齢差や家族状況の仔細、東京と九州、それぞれの地方に差す特有の翳りなど、あらゆる個体差のざらつきは天を覆う巨大な鉄板のような経済的強制力に圧しつぶされてしまうのである。

報道によれば供述に共通するのは自発的な「死刑志願者」ということだ。

砂粒たち。さらに擦りつぶされた粉塵の消滅願望。

総選挙の結果より、実行者たちとその行為のこの圧倒的な無名性、無方向性に目が向く。一九九七年神戸酒鬼薔薇事案や二〇〇八年秋葉原トラック殺人事案では、その特異性に世論が沸いた。これがはるか昔に思える。

衆議院選挙の結果、二〇代後半の投票率三三％のうち四九％に及ぶ保守投票者は同年齢層全体のうちの約一六％（朝日新聞デジタル版）に当たる。ということは、大ざっぱに保守票は多数派ではない。残る八四％、さらに世襲される非正規たちが浮き沈みする海の底ではどう動いているのか。その形を成さないなにかを掬いとるには、崩れやすい水死体を扱うような手つきが必要になる。

すなわちジョーカーたち。あるいはアノニマス。

一九六三年一〇月から六四年一月にかけて起きた西口彰による一連の殺人事件。一九六八年一〇月一一月と続いた永山則夫による連続射殺事件。新幹線と高速道路網の発達によって西口彰事案は「広域犯罪」というカテゴリーを生む。永山則夫事案はその「広域重要一〇八号」である。西口における謹直なカトリック信徒の父との葛藤、永山における極寒網走の廃屋に遺棄された子どもたち。二人の個人史は飽くことなく語られ、いくつもの作品が生まれた。

佐木隆三の小説と今村昌平の映画『復讐するは我にあり』。永山則夫自身による『無知の涙』『木橋』（ともに河出文庫）などなど。いずれのケースも今や犯罪学テクストの古典アイテムだ。西口の「復讐」は天皇神に屈した敬虔なカトリックの父、すなわち神への怒りであり、永山は拘置所で革共同中核派に属する東大生の言葉に触れて資本に対する憎悪を知る。

紀元前六世紀に書かれたとされる『申命記』三二章三五節「主いい給う。復讐するは我にあり、我これを報いん」。アッシリアの圧迫の下で記された「モーセの歌」のこの一節は一九七〇年代の連合赤軍と反日武装戦線の後を生きる私自身の言葉だった。蜂起の神話が崩れ去った後で国家を罰する「神の暴力」を待ち望むしかない。『暴力批判論』をしたためる初期ベンヤミンが傍らに置いたのは『モーセ五書』でも「民数記」だが、私がベンヤミンに渇望したのは天使をめぐるユダヤ的な隠秘学ではない。世界をぶち壊す天の怒り。無辜の暴力だった。

旗を奪われ街に散った少なからぬ者たちが「復讐」の言葉を噛みしめたのは事実である。砂たちはどうなのか。

顔とマスクの闘い

二〇二一年の列島に現れたジョーカーたちは神にも資本にも復讐することはない。

ただ国家に殺してくれと請い願うのである。西口や永山はもちろん、神戸酒鬼薔薇事案でも秋葉原トラック殺人事案でも、容疑者たちはそう言わなかった。

映画『ジョーカー』を観た人はどのくらいいるのだろうか。

二〇一九年ヴェネツィア国際映画祭で金獅子賞を獲得したトッド・フィリップス監督のこの作品はDCコミックス『バットマン』のスピンオフのように見せて、独立した実写作品である。だがCGで潤色された実写映像とアニメの区別はもうない。ブルックリンの裏街に住むうらぶれたアーサー・フレック。彼は二つの顔を持つ。認知症に怯える母を思う疲れ切った顔とスタンダップ・コメディアンの顔である。素顔とジョーカーの不気味な白塗り。もろともキャラクターにしか見えない。

地肌は日ごとに仮面に喰われていく。白人か黒人かではない。黒い皮膚が白い仮面を突き破る初期ファノンのストーリーの真逆。ジョーカーのマスクがアーサーの膚を征圧する。それこそがこの作品のアジェンダであり、かつ魅力なのだ。大統領みずからネットキャラと化したトランプ時代にこれが撮られたのは必然である。

その二〇年前、一九九九年の映画『ファイト・クラブ』（デヴィッド・フィンチャー監督）はどうだろう。

全米を飛び回るメガ自動車メーカーのクレーム処理係、エドワード・ノートン演じる主人公の前に謎のセールスマンが現れる。こちらのブラッド・ピット演じる筋肉質の人物像は濃い陰翳を帯びているが、じつはノートンから分裂した別の人格なのである。タワーに住むノートンは瀕死の病者に成りすまし、病魔におののく患者たちの会を次々とクルーズしては「死にゆく者の高揚」に溺れていた。その果てにピットという幻影に出会うのである。

素手で殴り合う奇妙なクラブを組織するピットは、やがてメガタワーの街を破壊する計画に没入する。ラストシーンではついにタワー最上階でノートンが自らの影を殺す。と同時に目の前で金融センターが崩れ落ちていく。全編すべてが押し隠していた素顔とエリートを装うマスクが葛藤する自意識の曼荼羅なのである。この映画がUSAで公開されたのは一九九九年一〇月六日。これは一一月三〇日シアトル―ジェノヴァの闘いに始まる今世紀の長い世界騒乱を予感する作品だった。アル＝カーイダによるWTC崩落はその二年後に起こる。乱流は今も続いている。

そのことを頭蓋骨に叩き込もう。

家族中で最も肌が白かったファノンの煩悶に始まり、シドニー・ポワチエ主演の『夜の大捜査線』(ノーマン・ジュイソン監督)へ。黒と白の境を超えてまだ皮膚が仮面を喰い破った九九年の『ファイト・クラブ』から、マスクが顔を乗っ取った二〇一九年の『ジョーカー』へのシネマの流れがある。

一方で地球的な抗争が続く。サパティスタの蜂起とシアトルの騒乱から二〇一一年のオキュパイ運動へ。これを無効化するアル＝カーイダからISイスラム国へというカウンターアタック。

そしてパレスチナのガザから北七四五キロの地に現れた多民族コミューン・ロジャヴァの闘い。さらにUSAに翻ってトランプ劇場へ——という攻防である。つまり国内階級闘争を回避して植民地に外部を求めた時代から、新自由主義によってそれが国内に還流する。さらに内外がマダラ状の内乱状態になる。

映画は世界を彷徨う亡霊の機械だ。つまり「顔とマスク」をめぐる諍いがグローバルな攻防と互いに貫通しているのである。同時に個人識別のテクノロジーも、印鑑や顔写真、自筆サインのアナログ視認から指紋の電子平面認証へ、そして血管や顔面のAI生体認証へと、特異点が皮膚表層から分子的体内へ侵入していく。行き着く先は遺伝子認証なのか。こういう生体技術進化の底流がある。

だが慌てないようにしよう。

死にいたる超常

死にゆく者の高揚。それを私は知っている。

『ファイト・クラブ』の主人公は末期患者たちが語り合う集まりに何度も潜り込む。病を呪い死におののき、自分自身と運命を嘲っては泣きながら神に請いすがる者たち。現世の罪を告解して人類史のカタコンベに連なろうとする儀式に通い続けるのを、どうしてもやめられないのである。ほとんどジャンキーに近いだろう。

私も三回ほど味わった。

がんの告知を前にしていきなり全身が麻痺する。つまり死とはまず「脳内麻薬」である。体が宙に浮く。そして実際に手術室から帰ると醒めかかった全身麻酔。だが魂こそヤク漬けなのだ。そこが夜だか昼だかわからない。心臓から薄皮一ミリ、直径五センチの腫瘍は残らず抉り取られたのか。ただ唸ることさえ辛い激痛。死神の青白い顔がＩＣＵ集中治療室の窓から覗いている。すべて切除しても肝がんに完治はない。

二回目は合計一二か所の盛大な播種。つまり臓器外への体内転移だ。前の晩に「余命二一か月」とサラリと告げた三〇代の執刀医。その言葉を呑み込んだ面会謝絶の夜中、スマホ片手に七転八倒する。友人の友人の友人にメールしまくる。いきなり某がん研究病院外科医長にセカンドオピニオンの予約を取った。

ベッド上の火事場のバカ力である。こんなことはただの気休めにすぎないとわかっていても。

さらに三回目は――。まあ、それはまたにしよう。

瀕死の者に訪れる超常感はドラッグに似ている。もう時間がないという爆発的な意識の冴え方。ドーパミンが噴出する。追いつめられた者の高揚感。最近はやや効き目が薄れたが、いずれまた錯乱的な悪酔いがやってくるだろう。エドワード・ノートンが死にゆく者たちの患者会に通い、ブラッド・ピットが地下の秘密クラブで体力ギリギリまで殴り合う場面はそんな臨死状態の飽くなき追求なのだ。

死、つまり個体としての自らの消滅はどんな人間でも怖しい。誰も死そのものを知りえないからだ。死について書かれたものはすべて虚妄。

そこに闇雲に飛び込もうとする。誰にも肯定されない自罰への奇妙な憧れ。完全に無意味な死。それを極上のデザートと感じて口に入れようとする者がいる。

死刑志願者たちだ。

だがこのデザートに味はない。一瞬のワイドショー騒ぎ。いつまでも続く退屈な裁判審理。周囲の眼に耐えられない家族は絶滅し、長い拘置の果てに、ある日いきなり絞首台の前に立たされる。その乾いた時間を知らないからだ。

砂時計を手にした国家は潔い死の悲愴を阻止する。支配者たちは二〇二一年前の「磔刑のメシア」から多くの教訓を学んだのである。殉教する者の悲愴美に泥を塗れと。だから殺される寸前に王により生かされる。この体験が若きドストエフスキーの出発点だった。彼さえ自らの死は知らない。今ではもうそんな荘厳劇は必要ない。怯えさせ後悔に身を焼かれる者をただ殺す。腐った反逆の種を断つというより、赤や黒でもないただの砂を掃き消すのみ。

彼らを改悛の闇に堕とす大審問官は神になる。絞首刑は法務官たちにとっても高純度の麻薬なのである。それでも吊られる台に並ぶ者が絶えることはないだろう。己の屍を想像するだけでエンドルフィンが分泌されるからだ。これが流刑の作家が仕掛けたワナである。

だが。と考える。

いつまでもドストエフスキーの掌で踊っていていいのか？

死を生きる女たち

さてとはいえ。

西口と永山、前世紀の列島に現れた二人の殺人者たち、二本のアメリカ映画の主人公たち、そして電車に乗った小型ジョーカー二人、誰もが男性である。これはなんだろう？

五所純子は『薬を食う女たち』（河出書房新社）を書いた。

消滅の恍惚に溺れたいのは男だけじゃない。渇望は女にもＬＧＢＴＱにもある。だがそこに綴られているのは、どうも今まで追ってきた男たちのそれとは違うような気がする。読めば一ページごとに鋭い釘が喉を突く。そんな言葉が乱立しているのである。

無知は力。……ドラッグがなければ東子はいない。……鼻で笑ってしまう。流行に操られるわたしをではなく、わたしを操らずにいられない流行をだ。軽薄で、低俗で、八方美人で、とてもじゃないけどわたしに釣り合うものとは思えない。けれど、幸せは低俗とともにやってくる。ばかな人、ばかな家、ばかな植物、ばかな食べ物、ばかな薬、ばかな本、ばかな夢、ばかな幻想、ばかな疑惑、ばかな主義、ばかな表現、すべての低俗なものに負けず劣らずわたしも低俗をめざした。

（「Hey Little Rich Girl」より）

無知の涙でなく無知は力。好んで低俗をめざす。これは高踏的な逆説だろうか？　そうじゃない。

「おぼえてないですね」

またただ。かれんも言った。七瀬もミナミも言った。ここぞという場面にかぎって彼女たちはそう言う。インタビュアーは声に出さずに復唱してみた。おぼえてないですね。はぐらかされるのがわたしの仕事だ、インタビュアーは思った。

これが冒頭だ。インタビューの本かなと読みはじめて間もなく、次のパートではもう主格はどこかにレレレと溶けてしまう。あり得るのかあり得ないのかわからない繰り言ばかり。

クスリとセックスにとり憑かれ、カネには突き放された少女やお姐さんたちの語りが次々と繰り出される。つまりは空想薬物小説なのか。

深作欣二の映画『仁義なき戦い』は実録ではない。モデルとされた人物は原作にまったく納得しない。さらに撮るうちに映像は原作とも脚本ともかけ離れてしまう。それでも跳びはねる群像を地べたからこすり撮る。カメラが役者と抱き合うように飛ぶ。道を這い回る。そういうリアルな夢幻である。夢幻こそリアル。

語る者が語りの中に入り込み、語られていたはずの者が口をききはじめる。こういうメタ構造が現れる。

「死刑にしてくれ」とは甘ったれた言葉だ。島国のジョーカーたちは死を願うが、彼女たちはとうに死を生きている。死にゆく恍惚と低俗な生をほおばっている。

そんな人間を私はずいぶんと見てきたような気がする。「おぼえてないですね」とは覚えているということだ。はぐらかされたその行き先を追ってみたい。


（二〇二一年一一月）

3　海辺の岩

ピンクの移動スラム

『薬を食う女たち』は言語ノイズのアンソロジーである。

一一の楽曲は主語溶融、助詞飛散、会話捻転、対語遊侠、淫語騒擾、カタカナ転変、薬物穢土、終わりから二番目「蟻」にいたってサンプリング錯乱詩に昇華する。

そして二三七ページにおよぶ言語動乱は母に宛てた娘の長い手紙で閉じられる。

その末尾にこうある。

「お手紙ありがとう。お母さんがダンプを派手に転がしているのが目に浮かびます。わたしも夢を見つけました。ずいぶん前から見つけていたんです。けど、今日はべつの発見のことを教えます。わたしたちはある時期、車で寝泊まりしていましたよね。アパートを転々とできたのはまだいいほうで、お金がなくなると車で暮らしていました。あのとき、わたしは夜が朝に変わる瞬間を見つけました。夜はいろんな色の服に着替えながら、ゆっくりと朝に変身していきます。すごくないですか。保育園で話したら、みんなぽかんとしていました。それはそうです。子供は眠っている時間です。あなたも眠っていました。だからずっと教えてあげられなかったんです。夜と朝の間にわたしたちの家があります。ほんの一瞬、わたしたちが暮らしたピンクです」

このラストソングは「美と美」と名づけられる。二一歳になった娘の美海ミナミが、心を病んだ者が暮らす施設にいる母の美絵ミエにしたためたものだ。だから「美と美」。

「ピンク」はスズキのMRワゴン車だ。

地方の幹線道路を転がる若いママの足である。二〇〇一年に発売され二〇一六年には販売終了になった。MRはマジカル・リラックスの略らしい。魔法のようにくつろげる?

たしかに全長三三九・五センチ、全幅一四七・五センチ、全高一六二センチの小さな家。まさにそこは薬を売る若い母の販売所。体を売るのはアパートのほうである。あらゆる種類の薬物を貪り、あらゆる種類の病名を貼り付けられた母。小学生の娘は見知らぬ男と平日の遊園地を回り、そこでなにがあったか語られることはけっしてない。この本の冒頭に出てくる「おぼえてないですね」という言葉の裏側をたどるその果てに、しめやかな語りは「ピンク」の車内から見える光景で終わる。

桃色のヒルビリー・エレジー。アパラチアの極貧白人だらけの田舎町に生まれ、イラクに派兵された後、イェール大学のロースクールを出たJ・D・ヴァンスの『ヒルビリー・エレジー アメリカの繁栄から取り残された白人たち』(関根光宏訳、光文社)は、Netflixで映画になった。

他人の貧寒は香ばしい。甘苦いノアールのショコラ。薄く引き延ばされた無駄死や辱められた者の苦行を舐めれば、覗き見る快がダダ洩れする。見る者は安楽、見られる者は煉獄。虚実などどうでもいい。そんな極貧猥褻物はネット上にいくらでもぶちまけられている。

劣情するなら金をくれ。無恥こそ力。呪われた町で生きるには呪われる覚悟がいる。

だが。そんなものなのか、これは。

岩の歌

これは雅歌だ。薬の友である母への剝き出しの愛である。

この愛恋は薬への哀憐と区別がつかない。ある夕方、海岸線を歩いて帰ると頭上でカラスが旋回している。まだ薄明るい空を裂く鳴き声。その外からさらに大きく周回するトンビの尖った眼。電信柱の巣で鳴くカラスの子の柔らかな肉。そこにトンビの全本能が殺到する。互いに翼をちぎり嘴を突き立てる空中戦。禽獣たちの叫喚で夕暮れの海辺は凍りついた。


耳をちぎられそうな鳴声に、通行人たちから溜息がもれた。ひどい戦いだった。トンビは退散した。

カラスはかろうじて撃退した。どちらも骨を折ったようで、まともに飛べていなかった。

通行人たちが散っていった。


「美と美」は、ここまで一〇篇に溢れる轟音を思いきり引き絞った岩である。

『申命記』「モーセの歌」三二章三一節から三三節にこうある（以降はすべて『新共同訳聖書』より）。

しかし、彼らの岩は我々の岩に及ばない。
我々の敵もそのことを認めている。
彼らのぶどうの木は、ソドムのぶどうの木で
ゴモラの畑で育ったもの。
そのぶどうは毒ぶどう
その房は苦い。
そのぶどう酒は、蛇の毒
コブラの猛毒。

侵食された堆積岩でできたネゲヴ沙漠の断崖、涸河の谷に聳える巨大な岩はモーセにとって「主」。つまりアドナイ、神そのものだ。が、私はユダヤの民でもイエスの徒でもない。たんに病める虫。そんな者にも巨岩はなにやら「信」として立つ。「トーラー」（『モーセ五書』）は至高のハードボイルドである。一二世紀コルドバのラビ・マイモーンは「岩」を指すヘブライ語は同時に「泉」を意味すると記している。イスラーム学者・黒田壽郎によるとどうやらそうらしい（『新イスラム事典』佐藤次高編、平凡社より）。この岩はたっぷりと毒物を吸い薬物を呑み込んでいるのである。

むろん薬は毒であり毒は薬。その上に立ったモーセは天に手をかざして誓う。

わたしの矢を血に酔わせ
わたしの剣に肉を食らわせる。
殺された者と捕らえられた者の血を飲ませ
髪を伸ばした敵の首領の肉を食らわせる。

この岩に留まろう。

西銀座の岩礁

がんから先が真の人生。
そう思い知った者には、二〇〇〇年前、三〇〇〇年前はつい「昨日」である。
キャバ嬢たちの争議に付き合った数年前、当事者や組合員たちと西銀座のクラブに踏み込んだことがある。外からは黒い大理石造りの洒落たブランドショップ。誰も風俗とは思わない。ところが中は絢爛たる労働監獄。飛び散る銀色発光の下でうそぶく黒服たちを追い詰める夜中の団交二時間の後、組合事務所で女性たちに話を聞いた。

その一人の表情が今も記憶に刻まれている。

「キャバ嬢には見えない」という腐った言葉は吐かないことにしよう。それでも「どうしてこの仕事に?」というステレオタイプを聞かなくては、争議の議論に奥行きが生まれない。彼女は胸や脚はおろか、客に手も触らせないという強い姿勢を貫いていた。きわめて異例。そこから賃金未払い、店内虐待、暴行未遂が始まる。

ユニオンの追及に経営者は姿を隠しマネジャーも着信拒否。ある日突然「飛ぶ」。つまり名義変更で所在地も変わった。所轄署は民事不介入。警官は遠巻きに傍観するばかりである。だから現場に突っ込んだ。支配人との直接交渉である。

キャバクラには階級がはっきりとある。下は北関東沿線の各駅停車駅前からはじまり急行が停車する町の店へ、さらに都内でも格付けがある。巨大ターミナル駅のそばが格上で銀座赤坂六本木は別格、中でも皇居限界ギリギリの西銀座は最上級だろう。この場所でこの意思はどこから来るのか。

彼女は一度も口を開かなかった。

出身地も生い立ちも現住所もいっさい答えない。完全黙秘である。

私たちは組織を背後にしたフロント企業を相手にした仲間である。裏専業の弁護士も敵にいる。やんわりと、かつ低く濁りを含んだ恫喝電話くらいは日常である。現場からの帰路のコースもそのつど変えている。彼女はそれでも表情ひとつ動かさなかった。化粧は濃くなくドレスも銀座にふさわしい。もろ肌脱げば目にもあやなタトゥーが御開帳というわけでもないだろう。たぶんね。手首に刻まれた自傷の痕があったかはわからない。


なにか岩礁のようなものにぶつかった。

そう感じた。男中心の闘争感覚が通用しないのである。

凍るような潮は押し寄せているが、波間に横たわる石くれはなにも語らない。

華奢な彼女の背の向こうに真っ黒い巌（いわお）のようなものが覗いている。その翳りが見えても、どうすることもできない。

多くのキャバ争議の当該たちは違う。彼女たちは多弁である。夫はとうに消えて、保育園に子どもを送ると母の介護。昼は事務の派遣、夜は御徒町や中野ブロードウェイ裏のキャバクラに通う。

保育園はつぶれてキャバも給料未払い、自分も病気やケガ――という女たちが何十人もいる。ところがキャバ経営に手を出すのも同じ地域、同じ中学卒の先輩だったりする。社会の趨勢は典型を生み出す。沿線階級ごとの族っぽいつながりがそこにあった。そんな非正規不安定なストーリーが西銀座の彼女には浮かんでこないのである。

覚えていないとも言わない。表情のないただ沈黙。そんな女たちが何人かいた。暴対法と共謀罪と個人情報法下の闘いである。戦後から七〇年代のスト頻発時代とは違う。あえて虚実を綾なそう。『仁義なき戦い』には銃声と罵声が充満する。『山谷(やま) やられたらやりかえせ』(佐藤満夫・山岡強一監督)や『バトル・ロワイアル』(深作欣二監督)もそうだ。その原型はブレヒトの『三文オペラ』か。キャバでは経営も組合も表向きは手も足も出さない。やり取りも軽い罵倒のジャブ程度で止める。どこまで罵っても個人名呼び捨てを極力避けた。双方ともだ。後退戦下のリアルな戦術判断である。だが彼女の完黙は戦術ではない。私たちは深夜の銀座通りで険しい岩山に立ち尽くしたのである。

地に呪われたる肌

素顔ではないが仮面でもない。端正な石像である。

もはや男女の区別に意味はない。炭鉱や寄せ場の現場労働者たちに見られる顔は彫り込まれた木像。いわば民藝である。それは手指による丹念な所作が創り出す技藝の産物だ。

かつて一九八〇年代に日雇いたちの運動が手を貸した名古屋のキャバレー争議の写真を眺めると、ホステスたちの顔面にさえ木彫りに似た濃い陰翳が浮かんでいる。

歓楽街で育った私はその顔相を読む眼力にいくらか修練を経てきた。ところが真夜中の銀座で間接的な性的サービスをさえ公然と拒否する女たちの顔は、まったく読解できない。

その石碑に刻まれた暗号を読み取ることができないのである。『薬を食う女たち』冒頭でピンクの手紙を読んだとき、このことを思い出す。

一九七〇年代の寓話。

自分が眼を鍛えたのはこういう場所だ。

煤けた金髪、ささくれた肌に重ねられた白塗りと弾ける赤の口紅。自分の額からほんの三センチのところに今夜もその顔が突き出される。ヌードスタジオという個室ストリップが彼女の生業である。ほぼ街娼。「三国人」ヤクザの代紋は店の隅に隠すようにそっと掛けられていた。

一九七五年には二〇代前半だったろう。まだ生きているのか。都心の路面なのに飢餓寸前の肉を削ぎ落した身のやつれ。酒とシャブをカクテルしたダイエットの効果である。

その口臭や腋臭（わきが）に夜ごと鼻腔を焼かれた。

これが私の情操教育である。

こちらも室温四三度を超える家内工場で煮詰められたTシャツを芳しいとはいえない。今だから言えるが、旧赤線街の洗濯屋は害虫の天国だ。水商売から日々持ち込まれる汚れ物に取りついたチャバネゴキブリの大群に占拠されている。

洗濯ノリや洗剤は虫どもの大好物なのである。ネズミより始末に悪い。いくら駆除しても薬殺しても、生き延びては殖え這いまわるばかり。食卓でもトイレでも布団でも。

目の前で売り払われる性欲の匂いとゴキブリの糞にまみれた日々。だが彼女たちの顔面はまだ判読できた。脚がよじれて道に転がっても、しわがれた怒鳴り声が喰い散らかした安物ケーキのようにばら撒かれる。男への、カネへの、薬への呪い。筋ものに初めてヤラれた夜の仔細や男の手癖の数々。墜ちてきた風俗の来歴、組の縛りやのしかかる借金の恨み、在日の姉御への怖れ。しまいには故郷や産んだ母や殴る父への怒号が路地に渦巻いた。

どんな芝居よりも拙く、拙いからこそ惨劇。

夜が更ければいつものことだ。いつものことではあるが、そこには仮面も素顔もない。

地にまみれ血にまみれた地肌の文字が午前二時の地表に殴り書きされている。

薬の政治

岩の時代に戻ろう。

アスファルトの殴り書きが消されてもう長い時間が過ぎた。

大宮の、御徒町の、西銀座の女たちは薬を食っているわけじゃない。まして死刑台を待っているわけでもない。ファイトクラブのメンバーではないし、ジョーカーのマスクなんて被ろうと思ったこともない。三〇〇〇年前でも三〇〇〇年後でもなく、いま生きたいだけ。

女たちの顔面はそう通信してくる。

だが。

あのピンクの碑文を読み解くことができるのか。

「美と美」の終わる前にこんな言葉が置かれている。薬物依存症患者とその家族が集まる会で娘が話したことである。


「依存してる人は、家族よりも依存しているものを優先します。お母さんも、わたしより薬やお酒や男の人を優先しました。それでいいと思います。なぜなら、わたしは自分がいちばん好きで、自分にしかわからない夢をもっていて、自分を表現して生きていくと決めたからです。お母さんもそうしたらいいです。あなたはあなたをいちばん好きになって、あなたにしかわからない夢をもって、あなたを表現して生きてほしいです」

「会場じゅうが凍りついたが、わたしは笑っていた」と著者は続けている。

「夢」ってか。

この言葉を私は人生から追放してきた。それは今も変わらない。半世紀近くこの語感を憎悪してきた。五所純子は込み上げる悪寒を抑えてこの欺瞞をあえて書いたと思う。

母が手紙に書いてきた夢は「ダンプの運ちゃん」になることだ。

ピンクのワゴンで綴られた言葉はその返信である。

では薬とはなんだろうか。

著者にも解らないその暗号をどう読むのか。

二丁目では女を縛る呪物だった。ここでは男たちを操る玩具でもある。

初めに薬物ありき。

その死にいたる惑乱は支配の契りを紊乱する。
薬物は民衆の宗教ではない。
薬物は民衆の政治である。

——支配を払いのける薬。
シナイ山の岩板にはそう重ね書きしておこう。とりあえず。

（二〇二一年一二月）

4　国家を引き寄せる者たち

向こうからやってくる人たち

「このところ、ほとんど現場を歩いていないので、どうももう一つ、ピンとくる犯罪が思い当たらない」――とまあ、まるっきり犯罪事案を酒の肴を見つくろうようにいう。

こんな漫才のボケのようなことを呟くのは朝倉喬司である。一九八一年のたぶん一〇月ごろに書かれたものだろう（「日本人の人肉食事件博物誌」『犯罪風土記』秀英書房）。ポリティカル・コレクトネス、個人情報保護法、コンプライアンスなんて言葉は影もない四〇年前の紙上ツイートである。

生前の朝倉さんは長年にわたって週刊誌のルポライターを生業とした。むろん正社員ではない。彼の体は大文字で書かれた理屈じゃ動かない。いかがわしい不穏を嗅ぎつけてはゴミの山にさえ鼻先を突っ込む。そこから別の時間を掘り進むのである。路地裏を這うアナキストにとっては週刊誌ライターは天職に近いだろう。

一方こちらも日雇い出張校正マン歴三〇年である。ライターのさらに下だ。正面ホールを闊歩する社員さんには裏口から入る者は透明人間。こちらにとっても身なりのいい方々は別世界である。毎日毎日大きな工場からワンルームの一室まで印刷屋や編集プロを渡り歩き、南関東のほの暗い通りを舐めるようにうろつく。その道すがら、どうしても非正規不安定な人間たちの薄い背中ばかりが気になってしまう。そういうユラユラと揺れる人影を追ってきた。

この五年はある日突然入院でいきなり開腹三回。そのたびにリハビリでグラグラ。それでも喰うために街中をふらつき回る日々だった。

それが解き放たれたコロナウイルス魔神のおかげでどこにも出られない。

大通りで目の前をぶつかりそうに走り去るウーバー自転車。その背に見えるのはデリバッグの緑色のロゴだけ。それ以外の非正規たちは真っ先に路面から消えた。彼女／彼らはどこに潜んでいるのか。喰えているのかいないのか。どこの隙間でその身を転がしているのか。それとも暗い街灯の物陰に立っているのか。どんな闇だまりからもなにかしら胡乱な匂いがする。コロナ禍でそれを嗅ぎ分けるカンが鈍るのである。

ところが犯罪は向こうから歩いてやってくる。

二〇二二年一月八日に起きた代々木一丁目の焼肉屋立てこもり事案である。うちから歩けば約三〇分。ほぼ生活圏に近い隣のそのまた隣町。籠城というにはあまりに儚い三時間の小芝居だ。それまで容疑者は新宿西口の中央公園で寝ていた。すべてご近所の話である。

誰一人刺さない。殴りもしない。持っていたのは携帯をガムテープで巻いただけのニセ爆弾。奇妙なまでに善良な犯行？　である。振りかえれば去年八月の小田急線女性襲撃と一〇月に起きた京王線ジョーカー事案の後、一一月には熊本での九州新幹線放火未遂、一二月に大阪雑居ビル放火事案とほぼ毎月のように「死刑志願」案件が続いた。そして列島上空を大きくブーメランが弧を描くようにして新宿駅南口から徒歩八分、再び東京都心部に戻ってきたのである。

社会が吐く息

これは私が寿司屋のカウンターで生きのいいネタを見つくろったわけじゃない。
困ったことに、なぜか物騒な案件がご近所に来てしまうのである。
だがと思う。
朝倉犯罪論のころとは決定的に感触が違う。
この体がそう言う。

当然のことながら、犯罪者にとって重要なことは自らが手を染める犯罪行為の成否だけである。確実に殺すには麻ヒモを使うべきかナイフを使用すべきか？ 殺したあとは見知らぬ土地に逃亡すべきか、それとも死体を隠して知らぬ顔を決めこむべきか？ 冷静に計算されたはずの犯罪ですらが、犯罪者の脳裏に浮かぶのはこれから行おうとしている犯罪の具体的な手順でしかない。

こう書いているのは船戸与一である。『犯罪風土記』解説の冒頭だ。つまり四〇年前に語られた一線を超えようとする者の心理である。誰でもこれがその入口だという。

ところが二〇二一年の夏から続く一連の奇妙な案件にはこれがなに一つ当てはまらないのである。彼らが事前にことの成否を考えたとはまるで思えない。凶器の選び方もテキトー。逃走の径路も遺体の隠し方も準備なんかしていない。どうやら捕まって刑を喰らうこと自体が目的なのである。それさえまったく粗忽。少なくともメディアによって報道された言葉や警察発表の限りではそうである。

メディアも当局も空気を誘導する。だからこれは上澄みにすぎない。そうだとしても、実行者たちの下水のような下意識を流れている汚物がどんなものかは、わからない。社会の底は濁って見えない。そして、そうとは感じられないほど下水は深く大きく息をしているのである。

その吐く臭気がどうやらこの四〇年間で変化したらしい。そしてなぜか小田急線女性襲撃事案以降の五人もまた「男」ばかりなのである。

犯罪の季節

さらに船戸の整理に従おう。かつての朝倉犯罪論には前提がある。朝倉喬司は、人はこんな欲望の三位一体をめぐって日常を生きているというのである。

エロス——人恋しさの欲求
芸能——欲求のかりそめの表現
犯罪——欲求の爆発的表現

ん? これが日常? ——と今なら誰でも思うだろう。

「非日常」の誤植じゃないです。朝倉はこれが人の生きる「日常」だというのだ。

メビウスの輪のように社会の表から裏へ歩いていくと、いつの間にか表に出るとさらに裏へ。エロから藝へ。藝から犯へ。またエロへ。そういうメビウスの輪だという。落ちそうになりながらも人はぐるぐるとこの道を歩き続ける。ちょっとした拍子に法の崖道から足を踏み外せば谷底の地獄行き。そういうギリギリのところで生きているのが人間だというのだ。

ということは誰もが潜在的な犯罪者なのか？


現代のビジネスパースンにはまったく理解できないに違いない。ましてタワーマンションという法の檻を心地よい天国と感じるＩＴエリートにはもう怖しい話だ。封建的な牢獄国家をせめてモダンにリノベしたいと願うリベラルな市民たちにもこれは耐えがたい。

がまあしかし、安全なエコ・マルクス主義や講壇アナキズムが流行る昨今なら、四〇年前のこういうメチャクチャな人間観を思い出しておいても損はないと思う。

私の生まれ育った新宿二丁目の日常はこのままだった。家の前に建ち並ぶ青線バーやトルコ風呂のエロス、裏壁の向こうにはストリップ劇場の藝能、周りは極東人ばかりの極道が仕切る犯罪のシマ。エロと藝と犯のたしかに三位一体である。これで竹中労から平岡正明、朝倉喬司、そして船戸与一と続く下民思想に惹かれなければ正気ではない。

ということで、早々にあちらに逝ってしまった人たちにもそろそろ甦ってもらおう。

だが連載の初めに書いたことを繰り返そう。

問題はその先の先にある。

谷川雁と平岡正明の呟き

三〇年ほど前に平岡正明に訊いたことがある。

「最近はどうして犯罪論を書かないんですか」

神保町の交差点から水道橋駅に向かう白山通りの路上である。

彼は歩きながら飄々と応じた。

「それがねー。犯罪者の怨念が取り憑いちゃうんだよ。そいつがどうもねー」

これが当時三〇代半ばの私には意外だった。

「犯罪者同盟」を名のったこともある、あの平岡さんがこう言うとはな。

法という、見えないが強力なバリアを思わず踏み越えてしまう者たちの背中をドンと押すのは恨みなのか欲なのか。刃物で相手の腹を突き刺し、鈍器で額を割り、銃弾で骨身をぶち抜くうちに、人はなにかしら別の次元に突き進んでいく。

曲がりくねった己の全生涯が「社会」そのものを貫く。全身にのしかかる国家とか社会とかいうお化けのハラワタを抉る。結界を裂く。そういう瞬間が訪れるのである。

平岡や朝倉はそこに全世界の裂け目を見る。

エロスと藝能の切っても切れない関係ならわかる。エロスは藝術の源である。

ところが犯罪と三位一体とは？

「世界を裂く」。この感覚が水面から沈んでしまったのが、この四〇年間である。


三井三池炭鉱の大ストライキがどう終わったのか。総評と炭労幹部の背信と妥協によるだけではない。炭坑労働者たちの全面的な屈服である。組織だけでなく個人の敗北。一九六〇年代初め小学生のころに、それをおぼろな空気として都会で吸っていた私は谷川雁のことなど知るはずはない。後に知ったのは、彼がこう書き残して東京に出たことだ。

昨日までの荒くれた炭鉱夫たちが今日は小さな家と車に目を輝かせる——。

この時代に薄汚れた町並みが見る間に一新されて、コンクリートとアスファルトとガラスで日に日に覆われていく。だからこそ平岡や朝倉たちは、新築と新車に埋もれた都会でその裏側に広がる夜陰を動いたはずだ。そんなわけで、健全な社会を背負うまともな労働者やサラリーマンなど一人も住んでいない町で育った自分のような者も、怪しくも可笑しく、かつ血なまぐさい彼らのルポルタージュを貪るように読んだのである。

武蔵野の陽炎

地方から大都市にやってきた荒ぶる民、炭鉱夫や農山漁民たちにもやがて末裔が生まれる。そして、二代、三代と都市の内側で大量に繁殖していくうちに、その心性も変化していく。

大岡昇平の代表作に『武蔵野夫人』（新潮文庫）がある。

一九五〇年代から六〇年代にかけて崩れゆく教養中産階級の姿を描いたものだ。

この物語の舞台は、小金井から国分寺にかけての武蔵野台地一帯、その丘の上に建ついくつかの家とされる。そこから下って多摩に広がる湧水池辺りまでが「はけ」と呼ばれるなだらかな筋道だ。具体的にはかつて国際基督教大学のゴルフ場だった現在の野川公園の北側である。作中の三軒のモデルはそれぞれ美術批評家、画家、銀行家の邸宅とされている。

全員が江戸の武家から戦前まで旧士族の家系を引き、三代もたてば文化資本を蓄えた中産階級が現れる。小説ではこの人びとが戦後の混濁の中で「はけ」からすべり落ち、不倫、離婚、破産、自殺という没落の沼に沈んでいくストーリーが描かれる。

だがいま見たいのはその主役たちではない。小説の中を一瞬だけよぎる者たちだ。

例えば一つだけ——。

駅の周辺に群れるパンパンとその客たちの間を素早く通り抜け、人気のない横丁を曲がると、古い武蔵野の道が現われた。低い陸稲の揃った間を黒い土が続いていた。

「パンパン」とは敗戦直後に基地のアメリカ兵たちに買春された女たちのことだ。

（三六頁）

パンパンはインドネシア語に由来するらしい。むろん露骨な蔑称だ。私は幼いときから大人たちの日常語として耳にしていた。休日には広大な立川基地からたくさんのアメリカ兵たちが中央線に乗ってやって来るからだ。

上級将校は赤坂、銀座、六本木。下級兵士たちが押し寄せるのはもっぱら新宿である。夜が深まればアルコールに加勢されて赤線青線になだれ込んだのである。「三国人」地回りの台湾なまりの日本語と米兵のブロークンジャパニーズで大喧嘩が始まる。夜も寝られない。

平日に国分寺や武蔵小金井の駅頭に立つのはいわば普段使いの女たちである。

彼女たちは物語の外にいる。朝倉喬司が『犯罪風土記』で妄想とともにむしり取ったのは、こういう人間たちがたどったその後の物語である。とりわけ出だしの「女殺し、東京概念図」はここから奇怪な幻想の裏東京地図を紡いでいく。

大岡昇平は畏敬すべき東京教養人の典型といえる。『レイテ戦記』(中公文庫)は日米によるフィリピン侵略戦争の結末を描く克明な記録である。と同時に、東京の庶民たちが殺し殺されて谷底の白骨と化した哀惜な鎮魂歌だ。従軍文学でも反米小説でもない。そこには山で暮らす民の姿が戦闘を縫うように一瞬鋭く点描されている。この戦争全体が日米による侵略であることが書き込まれているのである。それでも新宿の沼地育ちの私には、加藤周一と並んで渋谷坂上の人なのである。

小説の中のパンパンたちには表情がない。武蔵野の平坦な台地に立ち昇る陽炎のようである。戦後の武蔵野で中央線沿線に立ち並ぶバラックの辻で客を引く女や、盛り場で残飯に喰らいつくその子どもたちが引き起こした犯罪を生き直したのが朝倉喬司や平岡正明である。彼らの仕事は初期松本清張の作品よりも人の肉に食い込んでいた。

頻々と現れる「死刑志願者」たちや五所純子が『薬を食う女たち』で書いたのは、さらにその孫たちの世代ということになる。

犯罪者の怨念に憑かれる――。今になって平岡さんの言うことがよくわかる。

反日武装戦線が逮捕されてしばらくして、彼は落語噺の深みに入り込んでいく。戦後戦中から明治へ、さらに幕末江戸へ、笑いに乗って時間を大いに湾曲させる。ジャズから落語へ。彼は再び国事犯への道を探り続けたのである。連続殺人者の咆哮から夜鷹の意地へ。そこには平岡一人藝の深化がある。これは彼自身の六〇年代に対する応答だったと思う。

一方で朝倉さんは、その後も現場を歩きながら犯罪者の魂に取り憑かれ続けた。

その方法は奇天烈に進化する。自ら語り唄う地霊となって地下の時間に潜り込んだのである。それは香具師の思想家、朝倉喬司にふさわしかったと思う。エロと藝と犯そのまんま。三位一体を最期までぐるぐると生きたというべきだろう。

だが孫たちの世代はどうなったのか。

私も生霊の吐く息に呑まれたくない。戦中戦後の世代と高度成長世代、その三代にわたる見るも悍(おぞ)ましい末期を眼にしてしまったからである。私の路地は竹中労『闇市水滸伝』(第三文明社)の舞台であり、平岡正明が通う新宿アングラ文化の最深部、ジャズバー「バードランド」がある場所だった。

島原から代々木へ

忘れちゃいけない。代々木一丁目の焼肉屋に戻ろう。

JR代々木駅西口のA4出口からすぐ二分。裏通りを歩いて代々木ゼミナールに向かう右側の角である。現場は半地下の店で二階は大戸屋。焼肉屋とメシ屋は、予備校生とワンルームに住むほとんど非正規に近いサラリーマン向けの食堂である。駅からの道には日高屋もある。ビルのその上は赤ひげ堂という漢法治療院だ。漢方ではなく漢法、気功に指圧や針灸を組み合わせた「東洋医学」という看板が上がる。一帯は明治神宮の裏地であり小ぎれいな低層マンションもある。小さな事務所やIT企業カップル、そういう階層も住む一角である。駅舎の向こうにはマンハッタン風のドコモタワー二七階が見える。作家でべ平連を牽引した小田実が代々木ゼミナールにいたころより、予備校生が少ないせいかゴチャゴチャしていない。

要するに東京の山手線内西側ではなんの変哲もない町の一隅である。駅の裏通りといっても、とりたてて寂れた雰囲気は感じられない。

そんな通りに新宿の公園で野宿するまだ若い人間が迷い込んだのである。一九九六年、西口地下広場に突如としてダンボール村が出現して以来、何度つぶされ追いやられても、新宿駅一帯は野宿する者たちにとって「メッカ」であることに変わりはない。食糧の確保、雨風をしのぐ隙間の多さ、支援するグループの層の厚さ、どれをとっても家のない貧民たちにとってどこよりも足が向いてしまう場所なのである。

どうやら容疑者とされる二八歳のペンキ職人は長崎県の南島原で生まれ育っている。まず東京に土地勘はない。新宿のイメージだけに誘われて来たのだろう。

私のような地元の先住民にしてみれば、新宿は今までも、これからもずっと闇市のままである。丸の内や日本橋のように三菱や三井の土地ではないし、渋谷が東急の寡占状態になったのとは違う条件がある。土地もビルも所有関係が複雑怪奇。東アジアだけでなく東南アジアからインド、欧米はもちろんアフリカまで権利者が広がる。実際に、あるメガバンクの不動産部門責任者から「できれば新宿は手を出したくないところ」と言われたことがある。

どれほど改造されようと街の骨格は闇市時代のまま。眼を凝らせば未だに焼け跡の傷痕さえ見えてくるのである。

ペンキ屋の移動

今のところ南島原のペンキ職人が東京までやってきた径路はわかっていない。一月八日の前日まで西口中央公園に寝泊まりしていたことは確実だ。手に職はある。地方崩壊とコロナ不況で不動産投資に頼るJR九州さえ、中国資本が細った地元福岡を見限って東南アジアで慣れないマンション投機を図るなど、九州島全域で建設関連業者は干上がっている。長崎市内ではペンキ屋の仕事はなかっただろうが、並みの職人なら東京で出番はあるはずだ。

なのになぜ、立てこもったのか？

「仕事が見つかった」「捕まればメシが喰える」など、野宿の大先輩には矛盾したことを言ったらしいが、すべて伝聞で詳らかではない。京王線ジョーカー事案の模倣は口走ったようだ。「死刑志願」はアンチヒーロー的な流言としてネットを飛び交っている。

寂れ切った地方の町でそのニュースを安い薬物のようになめている者もいると思う。

二〇二一年八月六日の小田急線女性襲撃から二二年一月八日の代々木焼肉屋立てこもりまで、六か月間五件の「拡大自殺」「死刑志願」とされる事案の容疑者のうち、四人が地方在住者である。

一人は大阪だが、そこはもうネオリベ右翼がはびこる人口減少都市だ。

さらに重要なこと。大阪雑居ビル放火以外は、小田急線、京王線、九州新幹線、さらに代々木焼肉屋立てこもりも含めて、列車による移動が事案そのものに絡んでいる事実だ。鉄道は二〇世紀前半に栄えた交通手段、それから車や飛行機に重心が移る。「中流」幻想社会とともに乗り物も動いた。現在が決定的に異なるのは、地方と東京圏の経済環境の違いが絶望的なレベルに達したこと。集団就職や大学進学をきっかけとした階級上昇などありえない。奨学金の苦しみも含めて、地方に多い中卒者や高卒者と都心大学の卒業者や院卒者との間の階級差は修正など生涯不可能である。車にもジェット機にも乗れない層が半数に近づいたのである。

「地方」とは旧帝国陸軍の言葉だ。明治憲法下で帝国軍人は陛下を護る御楯(みたて)、つまり比類ない軍神エリートだった。だから軍営地の外を指す「地方」には侮蔑的なニュアンスが込められていた。大西巨人『神聖喜劇』(光文社文庫)の内務班描写にそういう将校とのやりとりがある。一九六〇年代に起きた西口彰や永山則夫の移動犯罪は各地の風物を切り裂く。そこにはまだ懐かしい風土や文物が残されていたからだ。だからこそ彼らの事案は「広域犯罪」と呼ばれて、驚愕と恐怖の的になったのである。

呼び寄せてしまう男たち

永山たちの移動事案にも全土に張りめぐらされた鉄道網が使われていた。

ところが、そのスピードがもはやもどかしく感じられる。現金はなくともスマホだけは手放せない。時空感覚そのものがネット環境に侵されているのである。ドラえもんの「どこでもドア」より速い。大阪の事案については、雨宮処凛による「生活保護」をめぐる渾身のレポートがある(HUFFPOST・雨宮処凛ブログ、二〇二二年一月二〇日、「もし生活保護を利用できていたら」)。

それを押さえるとしても、動かなかった大阪のケースも含めて、私は五件連続した犯行に拡大自殺より「移動への渇望」を感じる。スマホの脳内移動に誘惑されたリアル階級移動だ。一皮剝けば今も地方は幕藩体制である。県庁、商工会議所、電力会社などの幹部、医者や弁護士は旧武家の子孫たちが占めている。そういうがんじがらめの檻からどうにかして出たい。その欲望がなぜ「殺してくれ」という言葉に誘発されてしまうのか。

どうして国家による処刑を呼び寄せてしまうのか。

朝倉喬司は「西口彰は大阪の生まれだが、両親ともに九州西端五島列島の出で、少年時代を五島で過ごしている」と記す（前掲「島原農民革命戦争の伝統」より）。そして、西口彰が呟いたのは隠れキリシタンの「歌オラショ」という讃美歌ではないか、と佐木隆三の小説『復讐するは我にあり』（文春文庫）は書くのである。崩れたポルトガル語由来のこの歌は、耳を澄ましても聞き取れないほど低い声でとつとつと歌われたという。

「島原の乱」が征圧されて住民全員が惨殺された後、新たに入植した者たちやその子孫にキリシタンは一人もいないようだ。だからなのか、南島原から来たペンキ職人に限らず、五人の男たちの行動からはこういう藝能―エロス的な香りが少しも漂ってこない。

砂粒にされた者たちにも性欲はあるだろう。だがエロス―藝能―犯罪と滑落していくような突破力がそこにはない。東京はもう希望の丘ではない。だから「殺してくれ」と言うしかないのである。


（二〇二二年一月）

5　逃散のかすかな地鳴り

誰もいない交差点

彼らはどこから来たのか？

連続五件の「死刑志願者」事案。いや「移動犯罪」事案というべきだろう。その実行者たちのうち、京王線のジョーカーもどき犯と熊本の新幹線放火犯が福岡県。代々木一丁目の焼肉屋籠城犯は長崎県だ。五人中で三人が九州島の出身なのである。

これはただの偶然だろうか。


九州北部のある県庁所在地。

町の中心を南北に走る四車線の県道と東西の旧街道が交わる目立たない交差点。

道端に佇む油のシミと埃にまみれた粗末なモルタル二階建て。モルタルは剝がれ窓は歪んで、薄い壁は今にも崩れ落ちそうだ。

人が住んでいるのかいないのか。

赤が退色してほとんど読めない看板。もとはなにかの商店らしい。かつては左右につながった長屋だろう。一軒だけやせた姿を通りにさらしている。隣家に接していた壁には錆びたブリキが張られ、半分剝がれて風に鳴く。表のガラス戸はいつ拭かれたのか。雑巾の黄ばんだ水垢が描く大きな弧がこびりついている。線の勢いに人の遠い息遣いを感じる。右隣はたしかラーメン屋、左はペットショップだったはず。空き地に残された床の跡。泥のしみたリノリウム、白い模造タイルの欠片が小商いの傷痕である。

県道を車が往来する。たまに中学生たちの自転車。歩道に人の姿はない。

家が泣いている。涙も枯れて久しいだろう。

そんな建物の亡骸が道沿いにポツンポツンと建つ。無人かと思うと階段を下りてくる音がして、ギ～っと戸が開く。左足を引きずる人影がゴミ袋を抱えて現れることもある。

国破れて空き地あり

シャッター街はとうに過ぎ去った昔話である。

町中いたるところが空き地になった。生まれてから三〇年はこの光景。若い地元民にはこれが自然だ。地場のネット掲示板で「東京では道を人が歩いている！」と話題になったのはつい最近である。土地の八〇代に聞いても、賑わう街の思い出は消えていた。ショッピングモールの記憶しかない。年寄りでさえ、いや年寄りこそ車が足だから、もう誰も町中を歩かないのである。

五所純子は大分の宇佐で生まれ、一九八〇年代の終わりまで九州で過ごした。彼女の『薬を食う女たち』の文章からは小さな車の中やワンルームマンションに閉ざされた者の気配が伝わってくる。女が薬に食われるのはそんな場所だ。東京の時間も長いのに、彼女の作品は沸騰する盛り場のアドレナリンを感じさせない。これはなんだろう。

かつて首都に出た書き手たちはまず発光する街角に眼を奪われ、混じり濁った人の吐く息に当てられた。生まれ育った土地とのとてつもない落差に狂い悶えて、深夜小さな部屋で文字に挑む。こういう葛藤が近代の文学史を刻んできた。街の光に驚倒する場所はさらにヨーロッパやアメリカへ向かい、これが転倒してインド、中東やラテンアメリカ、アフリカの暗闇に眼球を抉られる。いずれにせよそこには都市があった。

ところが薬物は車に乗って軽々と県境を超える。空き地を縫って転がる車が描く象形文字のようだ。廃屋の隣で発酵するワンルームマンションの濁文学である。純文学ではない。森元斎の『国道3号線』（共和国）はロードサイドの歴史民俗学。スピードを上げた車中からサンプリングされた九州島民衆抵抗史の高速点描画である。

彼女／彼らの書くものから「都市の密度」が消えている。
文学は煮えたぎる街から遠ざかった。
そんな街はどこにもないからだ。
都市や国家は彼女／彼らの中ですでに想像的に滅びている。
国破れて空き地あり——なのである。

笑えるほどに江戸時代

あまり急いじゃいけない。
人のいない交差点に帰ろう。

この交差点は城跡に立つ県庁ビルから濠に沿って歩くと一〇分ほどのところにある。この濠を囲んで電力会社やＮＨＫ、中央郵便局、商工会議所やＪＡのビルが立ち並ぶ一角が県域統治の中心である。樹齢三〇〇年はある大楠が枝を広げる石垣の遊歩道が大濠を取り巻く。ここは幕末維新の一幕を彩った遺構。県当局は司馬遼太郎の文壇的遺功にすがって、町の風格を誇示したいがどうもうまくいかない。中途半端な城壁リニューアル工事がだらしなく続いている。

観光客は一人もいない。濠の水面に轟くのは頭上を舞うカラスのだみ声だけ。明治の動乱で城が焼け落ちるのを見た老樹の並木はカラスのタワーマンションになった。煉瓦の道は降り注ぐ糞で白く染まっている。

この辺りだけじゃない。三〇年前は城下町らしい風情を残していた町中の掘割。そこに沿う商店街は完全に消滅。アーケードの跡地に建てられたカタカナ名のモールとマンション複合施設もたちまち寂れて、名前ごと忘れられた。そこを埋めるように入った県営物産ショールームにも冷たい風が舞う。

県道からしばらく入ると、門のある家が並ぶ一角がある。大ぶりな墓が居並ぶ寺も目立つ。その道すがら、武門や職能を示す町名の由来を書いた江戸町おこし風のプレートを見る。ここは藩の直参や御用商人の町なのである。

地方都市では家臣や豪商の子孫たちに医者や弁護士が多いと前に書いた。じつはその看板も次々と消えている。門閥をバックに士業を継いできた戦後世代は故里の空に旅立ってしまうのだ。洒落た黒いモダン建築に住むのは土地に残った次男三男の分家たち。江戸詰めというべきか、都会に去った武家一族の長子は決してここには帰らないのである。

笑えるほど江戸時代。

幕藩体制の仕組みがそのまま二一世紀の階級構成にスライドできる。

産業的かつ啓蒙的近代はどこへ行ったんだ?

ここには寿司屋も蕎麦屋も鰻屋も天麩羅屋もイタリアンも満足にない。とくればモダン江戸人の筆者としては御免こうむりたいが。北に行けば筑豊、かつての大炭坑地帯である。抗争の傷跡は六〇年たった今も生々しく疼く。その北へ上るその中間の町、貨物駅で栄えた電車区は国鉄労働組合の一大拠点だった。ところがこの町にはそういう生傷が見えないのである。南に広がる沖積平野の肥沃と有明の豊かな干潟が戦後大変動時代にまれにみる平穏を維持してきた理由だろう。この二〇年でそれがグズグズと崩れていく。

ヒッチコックの町

小さな自営商店が真っ先に絶滅した。デパートも枯死。モールも次々とシャッター街。これは竹中平蔵の時代にはありふれたことだ。

それから起きたこと。

新しいマンションが建つのは駅に近いエリアだけ。新幹線から逸れた町は県庁所在地の駅前広場でも福岡に通うサラリーマンのベッドタウンになる。あるいは農民平民の子孫たちは中国向け下請け工場に職を得る。県道を転がるミニカーに乗るのはそういう家族たちだ。その福岡がコロナ不況による中国貿易の浮沈で大きく揺れている。潮が引くように人口が減り続けて、地域全体が老衰していくのである。

思い出しておこう。二二年前にここで起きた一つの事案を。

空地だらけの交差点からまっすぐ北へ駅方向に向かい、線路を越えて東へ行くと高速バスが発着するターミナルがある。ここから博多へ出発したバス便を一七歳が牛刀を振りかざしてジャックしたのが二一世紀に入った年である。女性一人を刺殺し二人に深い傷を残した彼が高校を中退して暮らしていた家は、この交差点からほど近い。

自分をいたぶった者たちが通う高校を襲撃するつもりが、ゴールデンウイークで休み。なぜか牛刀の切っ先を長距離バスに転じる。この衝動を掘り進むと、どうやらこれも「移動犯罪」である。まず福岡天神へ。関門橋から山口を通り抜け、逮捕されたのは広島の小谷パーキングエリアだった。バスはこの間三三七キロを走る。

被害者たちもこの一帯に住む人たちなのである。六年後に医療少年院を退院した加害者が今どこでなにをしているのかは皆目わからない。じきに四〇の声を聞くだろう。被害者とその家族たちもこの平らな土地でどんな二〇年を過ごしたのか。とにかく寺社が多い。カラスにとって楠の大木がタワマンなら、こういう神仏の杜は中層マンションである。バスに同乗した二二人は後の時間をその鳴き声の下で暮らしたに違いない。

静かな肥前の町は、ヒッチコックが描いた『サイコ』や『鳥』の世界をひっそりと宿している。通りから裏道に折れると、古びた家で年老いたアンソニー・パーキンスやジェシカ・タンディが息をひそめて日々を生きている。

東京都心西側の沼から這い上がってきた人間には九州島中央部の空はただただ広い。タワーが一棟もない。「葉隠れの里」はヒッチコックのスリラーが似合う町になった——。そんな妄想が有明の海に向けて広がっていくのである。

九州島の中央値

福岡と長崎に挟まれた場所である。ここには寄生できるような「重厚長大産業」がもともとない。製鉄や炭鉱の中心地として産業的近代の揺籃だった北九州や筑豊。中国大陸や西洋への窓口として栄え、かつては大きな海の炭坑や軍港を抱えた長崎や佐世保。どちらも衰退は峻烈だった。

ここは違う。福島なら会津に対する中通りの福島市にちょっと似ている。領主と家臣団、県令と士族官吏が統治するために造られた都市なのである。江戸や明治から戦後成長期までその形は変わらなかったと思う。

だから崩壊はあいまいで緩慢に進む。

こう言いかえよう。

ここは九州島の「中央値」なのである。

中央値？


「余命二一か月」と、手術の前夜遅くに三〇代の執刀医に告げられたのは二〇一八年九月二四日だった。肝がんが再発して二回目の入院時である。緊急に呼ばれた深夜のカンファレンスルームで、施術全体をコントロールする敏腕の主治医が急いで付け加える。こちらも四〇代である。

「これはあくまでも中央値です」

英語のmedianを訳した「中央値」はデータや集合の概況を表す代表値の一つ。多くの検体値の中でとにかく順位が中央である値を指す言葉である。およそ単純。平均値や最頻値とは異なる。

つまり私のケースでは、肝臓内と播種した腫瘍を切除するステージ4bという条件の下で、術後生存期間グラデーションを描くとする。最長で四二か月間生きた人から最短一か月持たなかった人までの真ん中の一点が「二一か月」である。平均値はもっと長く、最頻値はすこし短い。じつにざっくりとした表象というべき。だからこそ状況を大ざっぱに捉えるには意外と的確なのである。

ということは、逆にいえば、どんなに生きても四二か月でエンドマークか――。

二回目の手術から数えると、それは今月（二〇二二年三月）なのである。

こいつは縁起でもない。三回目の切除でリセットされてもステージ4bは変わらない。まあなんとかなるだろう、ということにここはしておく。

——不気味なほど穏やかなまま死に向かう社会の姿を「手づかみ」にする。そういう意味でここは、九州島の衰弱を表す「中央値」じゃないのか。

もしかしたらと思う。列島全体かもしれない。

「ここ」とは佐賀県の佐賀市内だ。あえて固有名を避け続けた。それは産業主義のスペクタクルを排して東京的虚飾を剝ぎ取るためだ。真っ先に財政崩壊した自治体の夕張市。人口消滅する可能性を指摘された豊島区。人口減少数でトップを争う北九州市といわき市。いずれもこの二〇年間の調査（総務省統計局）データから割り出した結果である（宮﨑雅人『地域衰退』岩波新書より）。だが、それらはすべてマーケティング的でハリウッド映画的だ。わかりやすすぎるのである。

列島を襲うのはアポカリプス的な全面崩壊ではない。

末端部位の「壊死」である。

necrosisネクローシスと学名で呼ばれる壊死とは局部の細胞だけが死ぬこと。細菌感染や破傷、血流減少などによって細胞膜が壊され中身が漏れて、特定の器官が腐る。似たように町や村の膜から人が漏れ出る。列島社会を覆うそうした鈍い病態を鈍いままつかむ。その進行状態を表す「中央値」にこの町の姿が見えてしまうのである。

無限が考えられぬものには
俺の姿は捉えがたい。
俺はどこにもあるものの
基底で
光を産み出す唯一の始原だ。

――と謳ったのは埴谷雄高である（「暗黒物質」『「標的者」序詞』〈『埴谷雄高評論選書　二』〉講談社文芸文庫より）。

ここはそんな場所じゃない。呆れるほどなにもない。なにも起こりそうにない一帯である。たしかにそう見える。だからオスプレイ一七機が干潟にやってくる。鈍重な世界を狙いすます狡猾な眼ざしをそこに感じるのである。

クルドたちのロジャヴァは基底ではない。サパティスタ先住民のチアパスも始原ではないだろう。局所から国家社会を分解していくためには、徒党による攻勢がどの細胞にどんな反応を惹き起こすのか、それを微細にうかがう必要があるだろう。私が受けたのは、腫瘍細胞の増殖因子受容体を標的にした実験的治療である。そこに酵素のクサビを打ち込んでがんへの血流を断つ。

スペクタクルのない黙示録を私たちは生きている。分子生物学的な加療で半ば改造人間化した者はそう考えるのである。

日本衰退論は都会に住む富者たちの「貧困ポルノ」である。

なにもない「ここ」があいまいに壊死していくことがノアールなのだ。

逃散の地鳴り

奇妙な抽出データがある。

二〇一八年の「住宅・土地統計調査」(総務省統計局)を基にした「空き家率の上位二〇市町村」というものだ(以下の数値は前掲『地域衰退』より)。

それによれば、空き家率の全国第一位は山口県周防大島町で全戸数の三〇・〇%。町の一〇軒におよそ三軒は放置された無人の家屋である。次いで鹿児島県肝付町が二六・一%。さらに二五%台には岩手県山田町、高知県室戸市が続く。見るべきは、列島の西南部が二〇のうち一八を占めていることである。紀伊半島の和歌山串本から中国広島の江田島、四国の土佐清水や室戸岬、九州鹿児島のさつま市や志布志湾まで、ほぼすべてが海浜の港町である。

ここから浮かび上がるのは、市内の三軒から五軒に一軒までが空き家になった町が、この列島の西から南の海辺に連なっている姿だ。太平洋か瀬戸内の岸辺である。ちなみに人口減少数の上位二〇位を見ると、その範囲は北海道と大阪が目立つが、ほぼ列島全域に散りばめられている。


これはどういうことか。

いくつかの前提がある。

数値は別荘を除いたもの。さらに何年か積み重なったストックだけがカウントされている。つまり売れ残りの新築物件は外れる。注意すべきは、データの対象が人口一万五〇〇〇人以上の町であることだ。公表されている県別数値より実態に近いが、より小さな村や集落の現状はわからないのである。さらに空き家として認定する方法が調査員による建物外観の視認であること。まだ堅牢そうでも無住。ボロボロでも有人家屋。そういう誤差の可能性を孕んでいることになる。

そういう雑駁なデータ抽出なのは仕方がない。「国土」にしがみつく国家統計だから、その衰弱を表す空き家の増減とか、空き地面積の動態なんてものは眼中にないからだ。国家は自分の老残を見たくないのである。

いずれ全土の熱エネルギー発散状況を光学把捉したビッグデータによる空き家密度精査とか、ドローンによる上空からの空き地赤外線リサーチなんてものが、高精細カラー画像で公開される日が来るだろう。それらと比べて、このデータはたしかに画素数がまるっきり粗い。しかしデータサイエンス的視力と人文学的視力は別のものだといおう。

ぐっと離して見ると粗っぽい画質から見えてしまうものがある。宇宙衛星やドローンとは比較にならない低精度、Google earthの眼よりはるかに鈍感だから、網膜に浮かび上がるものがある。人口一万五〇〇〇人を超える市域の周り、小さな町や村をシミのように浸していく空き家の広りである。海の民の動きは陸の民より速い。弧状列島を西から南へ浸水域がにじんでいく。労働集約性が高い港湾都市にくっきりと現れるとしても、隣接する立地の小都市や農山村に空き家が少ないとは思えない。「ポツンと一軒家」がまだどうにかテレビ番組として成り立つのは人が住んでいるからだ。「ポツンと空き家」は取材してもしかたがない。そこを見る犯罪考察は反スペクタクルな人文学的感知装置なのである。

五件続いた「移動犯罪」の実行者のうち三人が九州島から現れる。彼ら三人の出身地は、それぞれ空き家率や人口減少数の上位二〇位に入る市町村から遠くないのである。

これは「逃散」ではないか。

明らかに重厚長大産業の成長期に出現する人口移動とは違う。ダムが決壊するように地方農村から都市工業地帯へ流れ込む。そんなものじゃない。ジョーカーを名乗る者たちはなにを求めているのか。おそらくほんとうは死刑判決ではない。

とにかくここから逃げたい。

中世北陸道の一向一揆から江戸近世の百姓一揆、明治の民乱まで、徒党―強訴―逃散という抗議形態の進行サイクルが多くの一揆史研究者に指摘されてきた（若尾政希『百姓一揆』岩波新書）。これが逆回転して行き先も乱流する。つまり逃散―強訴―徒党。まだ弱いが、そういう逃散への地鳴りが遠く聞こえてこないか。

空き地に囲まれた交差点。そこに立つ一軒の空き家の前で、グラグラと揺れながらcross roadsのブルースを唄おう。これは移動の唄だ。綿花畑から黒人たちが逃げていく。先端医学に命を預けた私はエリック・クラプトンじゃない。悪魔に魂を売り飛ばしたロバート・ジョンソンのように口ずさんでしまうのである。

（二〇二二年二月）

6 悪い人と義の人

ある市井のオヤジさん

話は都心の雑踏に帰る。

このオヤジさんはなかなか味わい深い人である。

初めて会ったのは一〇年前のある会合の席。一見して白髪まじりの気さくな古老だが、黙すれば強面。相好を崩してもシワの奥で射る眼光は隠せない。だから私の本能がいう。

――こういう難物ほど、なにかあるんだな。

話を振るうちに愛嬌がにじみ出てきた。八〇に手が届いたところか。短躯で手足も短い。ところが着るものにどことなく洒落っ気が見える。野卑ギリギリで引き返す奇妙な趣味を感じるのである。ここはかつての遊廓の隣町、癖のある男も女もざらにいた。オヤジさんの服から浮き出る肩幅は広く、骨柄も屈強にちがいない。若いころから肉体労働に従事した体つきだ。節々にその粗熱がうかがえる。丸い顔ごと大笑すれば奥がのぞけるほど鼻腔がでかい。こういう人物を縄文人なんて呼んでも意味はないのである。

まあ土建屋だろう。編み上げた脚絆がいかにも似合いそうだ。口はよく回り闊達。気分が乗ると伝法な軽口がポンポンと飛び出す。関東の訛りに違いないが、どこなんだろう。酒席でもないのに、節回しがたちまち濁りを含んで講談のそれに近づいた。これは堅気じゃないなと、こちらの嗅覚がいうのである。

すごむわけではない。建築現場の実際に詳しいのである。その知見に一同が耳を傾ける。専門の技術屋ではなさそうだが、判断ひとつひとつにある種まともな「公共心」、というか「義心」のようなものを感じる。そして興が乗るほどに慇懃な実業言葉と香具師のカタリが混じり合った。

その矢先、ふと舌先に使い込んだドスの切っ先を感じた。粗い喉声にどこかで人骨を切ったような刃こぼれがするのである。

――さて、このオッサンの正体はなんだ？

この手の方々をポリスに通報するほどこちらも無粋ではない。若いころは毎日のように面と向かっている。地面に書かれた危険物取扱説明書を読み込んだようなものだ。

からっと抜けた笑いに滋味がある。これはおよそサラリーマンにはないものだ。どんな「物件」であれ、目の前の人間が生きてきた時間や空間を再構成したいという欲望がこちらにもある。濃厚にある。触手が伸びる。人間存在の念入りな解体や腑分け、さらに意識無意識の流れを漕いで遡る。いわば人文学的問いの小刀を懐に忍ばせたのである。

サラッといなしつつも心意気に応える。裏を知る者の危うい黙契に訴える。裏街道を行く連中が膝を打つツボがあるのだ。呵呵大笑。たちまち市民たちが知らない深夜の濃霧に覆われた。とはいえ地域住民の会合。サラリーマンも商店主も独身女性もいる。ときおりわかりやすいジョークも散りばめれば皆さんの表情もほぐれていく。

寸止めでギャグの刃を交わすうちに、こちらの親和性が伝わったようだ。語尾がときとしてaからeに訛る。これはどうも伊豆半島のイントネーションじゃないかな。

こうして怪しくも危ないオヤジさんと、つまりは仲よくなったのである。

夜更けのブッチャー

私の父親にも少し似たところがあった。

親父は栃木南部の生まれで埃臭い訛りが強く残る土地。北関東の空っ風に吹かれて命題の結末が砂ぼこりに消えてしまう。かの地出身の漫才コンビ、U字工事の野州（栃木）言葉はじつはテレビ向けに歯切れがよすぎるのである。それでもゴロタ石に似た土地者の意地が道ばたに転がっている。

親父はそんな口の利き方だ。これを鈍根とそしられてもうなずくしかない。

我が家は牛込四谷内藤新宿を三〇〇年近くうろついた商人家系。八代将軍吉宗による享保の改革あたりにしがない御家人から材木屋に下ったらしい。まあいずれ「改革」ってのはご公儀の隠蔽工作である。明治初年に四歳の夏目金之助は新宿遊廓の住人だが、当家は夏目一族のような早稲田の町名主ではなかった。なぜか三田慶応正門前にある菩提寺で墓石の銘を眺めれば、材木商から江戸時代をかけて次第に細った小商いのようである。

そう名乗ったところで親父自身は関八州で食い詰めた遠い縁戚の三男坊だ。大工の息子が跡継ぎのいない焼け跡のバラックに拾われたにすぎない。それが実情。新宿二丁目のような悪い場所で生きるにはリクツよりガタイが第一、しぶとい根性と丈夫な体だけが売り物である。当然、江戸人の跳ぶような軽妙さは彼の口からは出ない。出るはずもないが、都会インテリのふがいなさを突く負けん気がときおり顔を出すのである。

「ああいう連中は肝心なときにはなんの役にも立たないいんだぜ」と親父が言った。

肝心なときとは戦争のことだ。飲み屋のカウンターでスーツを着こなした大卒サラリーマンたちに軽んじられた宵がよほど悔しかったのだろう。結局はアカデミーを捨てた長男は、酒に顔がほころんだ親父に何回そんなエピソードを聞かされたことか。

子母澤寛の『座頭市物語』は千葉県佐原が舞台。この掌編を潤色拡大して勝新太郎が演じた「座頭の市つぁん」は東山道下野国の在、栃木県である。親父の心意気は勝新を思わせる——とは褒めすぎである。親不孝息子の手向けの言葉に聞こえるだろう。戦時には宇都宮の陸軍第十四師団に召集されて「満州」へ、さらに現地召集されて黒竜江省牡丹江近くの関東軍守備隊に長くいた。上官から憲兵隊に推されて断るほどの気概はあったと本人は言う。

むしろ勝新でも有馬頼義原作・増村保造監督の『兵隊やくざ』である。ソ満国境沿い黒竜江省孫呉の守備隊に入隊した講談師くずれの用心棒が、育ちのいいインテリ上等兵を慕いつつ大暴れする「隊内反抗」の物語だ。有馬なりの厭戦小説である。親父も酒場で顔を合わせる新聞記者や企業人をバカにしつつ、どこかで憧れる。反戦なんてもんじゃない。「あいつらは根性がないが、俺は歯を食いしばった」くらい。戦後保守を下から支えた庶民意識の典型だ。それでも新左翼敗退後、呑んだくれた一九七〇年代を存分に経験した息子は、肉体労働で一生を終えた者の憂いを墓前で思い知るのである。

晩年の姿形はほぼプロレスのアブドーラ・ザ・ブッチャーである。顔は色浅黒く坊主頭。どっしりとした体軀。人を売り買いする街でこの押し出しが商売の重しになった。ロバート・デ・ニーロ演じるマフィア映画『グッド・フェローズ』(マーティン・スコセッシ監督)でニューヨークのリトルイタリーをのし歩く一団に混じっていても不思議はない。晩年これから酒場を共にできようかというときに、病が私に断酒を命じる。これが残念である。

土建屋の筋者と洗濯屋のブッチャー。ともに関東の外れから新宿の歓楽街に出てきた二人のオヤジたちである。そのせがれも含めて「市民」と呼ばれるのはどうも気恥ずかしい。そういうオヤジ二人には重なるところと重ならないところがある。

日本刀としての列島人

「あんたに俺の日本刀を一本やるよ」

オヤジさんはニコニコしていきなり言う。

何か月か後の話し合いの場である。テーマとはなんの関係もない。集まった人たちはギョッとして静まり返った。

「あんたは面白いよ。歌舞伎町の若い衆に声をかけとく」

と止まらない。

「ライフルだって二丁持ってるし。もちろん許可証つきだぜ」

いやはや八〇過ぎてこの精気。じつに嬉しそうだった。

困ったことに、私はこういうオヤジがどうも嫌いになれないのである。

語り手と語られる作中人物とがだぶってくるというのは、日本の語り芸の伝統である。つくられた「歴史」の枠組みにたいして執拗な反抗をくわだてる児島高徳（あるいは楠木・名和の一族）

と、それを仕方・声色をまじえてカタル者とは、語り（騙り）芸の世界を媒介にして、まさに系譜的・系図的にもつながってくるのである（兵藤裕己『太平記〈よみ〉の可能性』第二章、講談社学術文庫より）。

つまるところ、この話はちとヤバい語り芸である。

二人のオヤジ話は虚実ないまぜた史談、空想的な語り物ということにしておこう。

児島・楠木・名和とは足利幕府に対抗した後醍醐天皇派の下級武士たちだ。日王崇拝、七生報国を念じる軍神たちとされてきたが素性は怪しい。近年の歴史研究では実在さえ疑われて、その実態は武装した土豪や商人たちの集団形象とされる。超大物の楠木正成は南河内が本拠、ということは川谷拓三が演じた「河内のおっさん」の遠い祖先だろう（齋藤武市監督『河内のオッサンの唄』）。足利将軍家に仕えるメジャーな源平軍団と戦う空想の南朝ゲリラたちと、近年のメタヒストリー的研究はいう。下からの（その上層だが）バサラ異形の元型として、『太平記』から生まれた『太平記』を内側から崩していく、語る／騙る欲望の産物なのである。このあたりについてはまた後ほどにしたい。

「仕方・声色をまじえてカタル者」たちの系譜は、戦後には野坂昭如の戯作や山田風太郎の伝奇ものに通じて、朝倉喬司や五所純子もこの中に入ってくるだろう。仕方とは身振りをいう。言ってみれば浪花節や辻説法、黒人音楽だとブルースやラップの前身であるトースティングと地続きである。朝倉喬司のいう「エロス―藝能―犯罪」の三位一体論はここにかかわっている。

さて船戸与一をさらに引こう。

（朝倉犯罪論において）犯罪者が目的（論）的に研究されることはどう転んでもない。犯罪者は彼の隣人として語られる。語るにあたっては憐憫もなければ憎悪もない。朝倉喬司は隣人の行為を静かに語りつづけることから論を起こす。

（前掲『犯罪風土記』解説）

隣人として語りはじめて大道芸のカタリへ向かう。

これが朝倉喬司や平岡正明が歩んだ道だ。

この「遠州森の石松」的なオヤジさんには、私も憐憫や憎悪はつゆほどもない。

――ないが、日本刀とはね。

血潮に濡れた日本刀の姿こそ列島人の心象を表す――と金時鐘は言う。

武器は人に憑依する。直刀で刺して曳き切る凶器。この殺傷の凄惨が列島人の心には潜んでいる。そのとおりである。だがその鬼面を知らなければ鬼の島では暮らせないと思い知るべし。
私の親父は将校ではない。一兵卒だからせいぜい銃剣、軍刀は持てなかったと思う。日本刀と軍刀は違う。高級将校は日本刀を焼き直したり、形を模したものを礼服に下げていた。私はそんな物騒なものは欲しくもない。我が心は蒼ざめた光を放つ直刀ではなく、kind of blue のブラックミュージックである。だから冗談半分、本気半分のプレゼントを丁重にお断りした。

切るといえば、三度目の医学的切腹から一年三か月。そろそろ四回目の臨死体験かなと案じたが、三月一〇日の造影CT検査の結果では肝臓内で腫瘍再発の疑いを示す著変なし。血液検査も血小板数がやや少ないくらいで数値はきれいなもの。これでまた三か月の執行猶予。どの部位だろうと一度発がんすれば三か月ごとの精密検査は避けられない。死刑台の語り芸は続く。

悪い人

「この人は悪い人ですけど、よろしくお願いします」
ある冬の土曜日の午後、地下鉄のホームでそう小さな声で伝えてきたのは、オヤジさんの連れ合いである。たまたま夫婦と出くわしたのである。古風にいえば、一見して落ち着いた「しもた屋のおかみさん」という印象だ。極道の妻なんて映画の作りもの。しもた屋とは「商店街で商いを閉じた家屋」だが、裏に連れ込み旅館が並ぶ甲州街道の傍らで暮らした経験から後家さんやお妾さんの住まいというしめやかな語感を感じる。後家とは未亡人。増村保造というより川島雄三映画の脇役女優かといえば、ちょっと言いすぎだろう。

都心の人がおおぜい往来する場所で、長年連れ添った妻が夫を「悪い人」とさらりと言う。それも二十歳も若い人間に。こちらはさして知りもしない近所の者である。ダンナは悪びれずにそれを聞いている。こっちも「いやいや大先輩ですから」なんて堅気の社交辞令でケロリとかわすのである。

なんだなんだこの新派みたいな明治の芝居は。と思いつつ嫌な感じはしなかった。地下鉄の影絵になった二人の背後に気の置けない夫婦の会話が透けて見える。

「今どき、けっこうさばけた若いのがいるんだよ」
「あんたみたいな人にはそういう人がいいんだよ」
――てなもんかな。

じっさい悪かったに違いない。

歳から想像するに敗戦直後が十代。玉音がひび割れる焼け跡、引き上げても闇市、戦犯を焼くかという左翼熱と労働運動の地鳴り。降り注ぐ火の雨に打たれて社会の大鍋がひっくり返った大饗宴だ。この負けん気野郎が速攻喧嘩や博打三昧、酒を浴びて女陰に耽る日々がすぐさま網膜に浮かぶ。極彩色の電飾が毒蛇のように絡みつく街で人肉を喰らい人肉に溺れる。では、この配偶者とはどんな夜に深い仲になったのか。それを聞くのは野暮天というものだ。

毒蛇がからむ街

——屠殺場の黒き凍雪(いてゆき)死にあたひするなにものも地上にあらぬ

塚本邦雄のこの歌は一九五六年の第二歌集『装飾楽句』(作品社)に収められている。呉海軍工廠で敗戦を迎えた歌人の「戦後」は執拗に終わらなかった。徴兵に間に合わなかった「悪い人」の戦後もそう簡単に終わりはしない。何度でもリフレインしよう。新宿まして歌舞伎町はこれからもずっと闇市であり、獣肉をほふると畜場だからだ。

オヤジさんの連れ合いが密やかに、しかしくっきりと「悪い」と呟くのは恥じらいであり、かつ狂った街を生きた矜持でもある。地下ホームのLEDに照らされて彼女の眼をうかがう。この言葉を私に向けて投げるのは、どうやらこの男ならこの濁りを通じ合えると思うからだ。私は彼らの世界でいう「悪い人」ではない。たぶんね。

——月光のとどかぬ街をゆきかへる硝子賣りらの濡れたる額

さらに同じ詩集の一篇「硝子賣り」はボードレールの散文詩「悪いガラス売り」から引かれたものだろう（『巴里の憂鬱』三好達治訳、新潮文庫）。詩人はアパルトマンの最上階の窓から路上の貧しいガラス売りに向かって植木鉢を落とす。背中の籠に鉢が命中して、山と積まれたガラス板は砕け散る。べつに恨みやトラブルがあったわけではない。パリの群衆が抱く「倦怠と夢想からほとばしり出る一種のエネルギー」を植木鉢の飛翔や割れるガラスの音響で切り取った詩とされる（大島ゆい「詩人はなぜガラスを割ったのか——ボードレール『悪いガラス売り』考」、慶應義塾大学フランス文学研究室紀要より）。

私は植木鉢を落とされる側である。一九六〇年代の新宿にはまだタワーはないが、たしかに太陽も月も三メートルの幅で行き来するだけの路地。そこが我が家族の住処である。詩語は時空を飛んで情感を激突させる。意味が発火する。頭上に石の塊が降ってくる。「濡れたる額」は割れた頭から流れる血である。ぶつけられた側はたまらない。

悪いのは憂鬱を気取る詩人だろうって？　一八六九年、明治二年のボードレールによる象徴詩は一九七五年のパティ・スミスによるパンク歌謡のようなものだ。

ここには「悪」をめぐる若いモダンの二重性が宿っている。「硝子賣り」から一五〇年。悪の意味は反転し反転し反転し反転した。一九五六年の塚本邦雄はまだ反転。七五年のパティ・スミスは反転の反転くらい。短歌二つをつなげてと畜場に降り注ぐ月光か。このオヤジと私が——地下ホームで話しかけるオヤジさんの連れ合いがそんなことを思うはずもない。一瞬で私がそう受け取り、体内で発酵させたのである。

義の人

正義ではない。大義でもない。義理や仁義ではもちろんない。たんに「義」。

この「義」という言葉にこだわってきた。

私には最小限かつ最大限の「出立点」。自らが立つその場所を指している。

「安倍や麻生、ああいう奴らは許せねーんだよ」

「消費税もゼロ金利も、おまんまの食い上げだぜ」

いいことを言うね。

六〇年間土木建築の現場でしのいできたオヤジさんの、これが実感なのである。

彼の実業は意外に堅実だったと思う。ビルの修繕をめぐる彼の意見を素人ながら慎重に吟味した。もはや一線を退いている。それでもその創業会社に「金をひっぱる」つまり発注を誘導する気配は一度も感じさせなかった。

建設屋の世界はきれいごとで済まない。日雇い労働者には手配師や末端業者がまず敵だ。その上に中抜き稼業が幾層にも折り重なっている。各種の下請け業者たちはゼネコンにとって、エサさえ投げれば言いなりになる奴婢なのである。その最末端には人夫出しの手配師がいる。さらに現場労働者から手配する側になった者もいる。都心のタワー建設はまだまだ止まらないだろう。その工事現場の一角には労働者たちが寝泊まりする飯場が隠されたように佇んでいる。都心に似合わないその醸し出す殺風景に、街を行く人々は眼を開けたまま心で閉じる。そういう場所をいくつも仕切る在日朝鮮人の元日雇いも現れているのである。

このオヤジさんは手配師ではない。経験談の中身からすると、建設会社を名乗っても四次下請け程度の設備関連だったようだ。無理強いする大手にトラブルは絶えなかったという。地べたに放り投げられたエサに飛びつく屈辱を知っている。だから依存と裏返しの巨大企業への恨みは深い。社長室に乗り込んだこともある。手になにが握られていたかは知らないことにしよう。職人たちとの仲間意識は強く、かたくなに彼らの技術と利益そしてプライドを守ろうとする。そういう人間なのである。

そこに「義心」のかすかな兆しを感じた。

「義」とはしかし定義しがたい言葉だ。仏教やキリスト教、イスラムや儒教、古神道にも似た語彙がある。ここでは極めて個人的な読解を示そう。

義足、義手、義歯、義眼という言葉がある。さらに当代のテクノロジーは頭脳以外のすべての身体機能を代替する「義体」さえ生み出そうとしているのである。

ここでの義とはなにか。

それは身体の喪われた一部、部位や器官などをあたかも生きて動いているように感じとることではないか。ＡＩ義体は有機体ではなく超精密機械である。断ち切られたものへのノスタルジーというより、他所から来て接続され現にいま動く具体への志向。時が熟せば肉体になじんでいく。しかし大義に飛翔せず、正義や教義に思い上がらない節度を保つ。

そんな「義」なるものがあるのではないか。アナキズムの始原でありマルクス主義未満。バブーフを受け継ぎブランキに流れ、バクーニンやマルクスの共産主義者同盟の前身となったのは「義人同盟」である。

だがしばらくして私は知ることになる。

このオヤジさんは、一九六〇年の安保闘争に際して組織された「防共挺身隊」の一員だったのである。これは戦後右派による街頭突撃隊の始まりだった。

いやはや。

しかしここには大きな問いを生む小さな胚芽が兆している。


（二〇二二年三月）

7 オウムとジョーカー

列島の衆が抱く義心はなぜ天朝に吸いこまれてしまうのか？

こう問いかける声が体に棲みついて久しい。

例えば最近もこんなことがある。

「君たちがひとこと＊＊と言ったら共に起つ」（『討論　三島由紀夫vs東大全共闘』角川文庫）。

——と首のない男が墓場から呼びかける声に、半世紀もたってオウム返しに＊＊と応えるヘルメットを脱いだ名誉教授たちがいる。

＊＊は戦前のように伏字にしておこう。「オウム」はかつて物議をかもした新宗教ではない。

鳥類オウム目オウム科のおしゃべり鳥のほうだ。この鳥の声はかん高いのである。映画の中ではジョーカーの叫びも引きつっていた。だからつい、オウム教授たちの顔と和製ジョーカーたちのそれを見比べてしまう。

大御心など今世紀の白塗り道化たちの知ったことではない。彼らはリベラルな上皇にではなく死刑台に逃散する。今のところは。しかし死罪にしてくれない五年後、一〇年後に娑婆に出てきたときにはどうなのか。そのころは戦時下かもしれない。

稗（ひえ）たちの歴史

鈴木邦男にかつてこう語りかけられたことがある。

「惨殺された小林多喜二のお母さんは、崩れそうなボロ屋で死ぬ間際に＊＊の手厚い思し召しに感謝の言葉を繰り返したそうですよ」

平岡正明が早世して持たれた阿佐ヶ谷ロフトAでのトークの席である。

そうですか。

それは知りませんでした。

でもね。小林多喜二の母セキは、晩年には小樽シオン教会の信徒だったはず。そんなセキに＊＊からどんな「思し召し」があったのか、それともなかったのか。セキの死に際した記録も読んだが、それ以上の知識はない。だから鈴木さんが私に呟いた言葉の真偽のほどは判然としないのである。しかしだ。集団ごと真っ向から「大逆」を目指した党の思想犯。その母にさえ施された＊＊のお慈悲伝説とはね。東北弁の鈴木さんの声音は朴訥で心に染み入る穏やかさがある。寄せ場闘争で＊＊の旗を掲げた方々に二人の友を屠られた者に、森田必勝の諫死を心に留める右翼人としてもいい加減なことを言うとは思えないのである。これはなかなか侮りがたい誘惑の仕方だった。

このころからである。ヘルメットを捨てた名誉教授たちはどうでもいい。

「下民たちには江戸期こそが決定的に重要である」

そう思うようになったのである。

ささやかだが教科書的整理をしたい。

日王崇拝の思潮形成やその浸透をめぐっては、かねてから八世紀の神々しい創世物語や艶めいた中世宮廷と下賤の民の結びつきを強調する歴史家たちは数多い。その妖しくも怪しい神秘の霧に誘われて、ミイラ取りがミイラになる知識人たちは明治から数えてもきりがない。というより、大ざっぱにいって徳富蘇峰から林房雄や亀井勝一郎、水野成夫から清水幾太郎、西部邁、藤岡信勝まで、こうした怪力乱神の皇説話の数々はほとんど転向者たちが創り出したといったほうが当たっているかもしれない。

先走りは慎もう。これは開化された西欧派インテリたちのことだ。

シネマを観る眼で眺めれば記紀、特に『古事記』はまるでセシル・B・デミルの『十戒』だ。ハリウッドの宗教スペクタクルなのである。ところが原文は変体漢文で書かれている。これは中古貴族の文体である。鎌倉の世に圧倒的大多数の下民たちは無文字社会に生きている。カナ書き和文だって形成途上である。したがって京は南の洛外、伏見日野山の中世風ダンボールハウスで鴨長明がものした『方丈記』に目を通す、そんな河原町五条橋下の野宿者なんていないだろう。記紀神話はまだ文字を操る人びとの天上物語にすぎない。

ところが室町以降の中世後期になると、武士の話し言葉に近い和漢混交文による大衆読物『太平記』が普及してゆく。南朝を慕う野武士の群れと北朝を支える貴族化した源平軍団のゴースト合戦である。この群雄伝は読んでも聞いても面白いのである。写本や異本、注釈書『理尽鈔』も含めて、初めはリテラルな読物、後にはオーラルな語り芸の伝搬が、中世から江戸前期にかけての列島社会にコモンな政治平面を涵養した。つまり町村の衆にとっても起こりゆく政(まつりごと)はみな、この芝居小屋で演じられる戦国絵巻の時空で捉えられることになる——。

とまあ、ひとまずは研究者たちによって積み重ねられた業績の受け売りにすぎない。

こうした中で、実態は「河内のおっさん」である楠木正成は六回死んでも七回さらに甦り、国に報いる忠君義烈の草莽として別格の大英雄になった。活劇を観る聞く装置は暴発する民の憤気を一気に換気清浄する強力モーターなのである。歴史記述や法制度より先に、その下で、さらに制度を超えて働く気流誘導の大プラントといっていい。


こんな迷信の世界はAI科学の時代には関係ないって？

村上一郎は楠木正成流の戦（いくさ）のあり方について、かつてこんなことを言ったことがある。

「これは、戦いに勝つことしか目的としない西洋の「戦理」を超えている。したがって、まことに日本的ないい方だが「義戦」というほかないのである。（略）長い間、戦っては敗れ、敗れつつ何かを残してきた一揆や国人の知恵が加わっていると思う」（「日本暴力考」『浪漫者の魂魄』冬樹社）。

この言葉は一九六九年、東大安田講堂籠城戦の年に書かれる。全国の街頭や大学では衝突に次ぐ衝突、大量逮捕と大量訴追が連発されているその真っただ中である。すなわち革命的敗北主義。

あえて言い切ろう。一九五八年のブント結成から三〇年にわたる新左翼の闘いは勝敗を超えた「義戦」そのものだった。

だから元全共闘の面々は半世紀たって大御心に帰順したのかって？

ここからが勉強である。

こちらが街頭にいる長い間に、庄屋や大商人の蔵奥で眠っていた写本や覚書や言い伝えの記録が発掘されていく。その嚆矢は色川大吉が一九六四年に出した『明治精神史』（上下、岩波現代文庫）だろう。以降、その史料の読まれ方・聞かれ方をめぐる討究は、今日までマルクス派から民衆史、社会史やメタヒストリー論までの方法論を充分に吸収して丹念精緻を極めていった。研究史そのものが時代の沸騰と崩壊、揺れる大学の中で積み上げられたものである。研究者たちにとっては、史料批判がまさに埋められた歴史を掘り起こしてゆく闘争なのである。

遅ればせながら思う。今その諸論考を吟味することは列島叛乱史をたどる醍醐味を与えてくれると（兵藤裕己『太平記〈よみ〉の可能性』、若尾政希『「太平記読み」の時代』『百姓一揆』、須田努『「悪党」の一九世紀』『幕末社会』などによる）。

下民藝能が語る／騙る

とはいえこちらは、いかがわしい稗史（はいし）を騙るしかない者である。

現代では、すれ違う人も通り過ぎる街すら目に入らず、多くの人がスマホメールの十数行と画像動画だけを眺めて道を行く。これは年齢も性別も問わない現象だ。文字文化は瀕死に近い。しかし逆に言えば、原稿用紙の書法とは違うが、どんな者でも文字らしきものは綴れるのである。正字法が崩壊しても絵文字が象形文字と化す。誤字脱字を満載して、主格のない駄文のガスがcloudとして天体を取り巻いている。これに憑りついた極右運動がいたるところで躍動するニュースに食傷する毎日である。

怯むことはない。便所の落書きに下民の声を聞いたのは寺山修司である。稗（ヒエ）ではなく、パン好きの私も優雅とはいえない文言をこうしてWordで連ねている。では二〇～三〇代ジョーカー予備軍たちの五世代以上前、江戸後期から明治未明、実際に稗を喰らっていた人びとはどうなんだろう。

江戸期の人びとの識字率は地域階層により極端な偏差があった。

欧米を超えて世界一の水準というのは夜郎自大な俗説だ。量と質の両面で根拠はまったく乏しいのである。一八七二年(明治五年)学制公布後の文部省調査で自著率、つまり「六歳以上で自分の名前を書ける割合」は、近畿や東京で五〇〜六〇%台。それが青森や鹿児島では二〇%に届かないとされる(八鍬友広による調査、角知行「日本の就学率は世界一だったのか」天理大学人権問題研究室紀要より)。

さらに江戸の私塾の意義を掘り起こした教育史学者のリチャード・ルビンジャーは、文字が「どう利用されるか」という読み書き能力を駆使する質の面になると、列島社会には「二つの文化」といえるほど大きな格差があったという(『日本人のリテラシー 1600—1900年』川村肇訳、柏書房より)。

まして『太平記』は本記や注釈書いずれも全四〇巻にも及ぶ。和漢文古典では最長の軍記物語なのである。これではダイジェストの読み聞かせでも、貧乏ヒマなしの百姓や職人たちには迷惑千万。解説書の写本のまた写本、断片にさえ接することができる社会層の下限は町村の名主たちとその周囲だったとされている。

まさにここから先が歌舞伎役者や浄瑠璃語り、講釈師に浪速節語りたちの出番なのである(兵藤裕己『〈声〉の国民国家 浪花節が創る日本近代』講談社学術文庫、『琵琶法師』岩波文庫より)。下民たちが酔い痴れる藝の力をバカにしてはいけない。

蕎麦屋とパン屋と豆腐屋の明治

小林多喜二の母セキに戻ろう。

彼女は、一八七三年（明治五年）に秋田県大館市の北にある釈迦内村で半小作農、半蕎麦屋の家に生まれた。奇妙に聞こえるかもしれないが、網野善彦がいうように「半農／半〜」という多種兼業の生業が「百姓」本来の姿である。

結婚して小樽に渡り今度はパン屋。文字を覚えたのはようやく一九三〇年、豊玉刑務所に収監された多喜二に手紙を書く東京杉並の家だ。後に平仮名ばかりのたどたどしい手書き文が発見されている。これも一九六一年に千葉松戸の馬橋で亡くなる前のもの。神に召されるまで彼女のリテラシーはあまり変わらなかったようだ。

一八八八年（明治二十一年）に小石川の豆腐屋に生まれた私の祖母も文字を満足に書けない。一九六〇年代初めの洗濯屋時代、火鉢の前に座ってテレビの新派劇に涙を流す祖母は小学生の私にメモ代わりの聞き書きをさせたものだ。早稲田牛込馬場下、通称夏目坂下の町名主、漱石の父である夏目直克は和漢の書物を解した。牛込から新宿二丁目遊廓の塀沿いに我が家が引っ越したのは「大正」即位のころだが、一八七〇年（明治三年）に漱石が三歳で預けられた二丁目の廓経営者も浅草の町名主だった。そこはうちのご近所、歩いて三分ほどである。明治にはまだそういう名主たちのネットワークが残っていたらしい。私の祖母たちはまだ生まれていないからすれ違うが、どうやら金之助んちと俺んちとの間には見えない結界が張られていたようだ。

一九六〇年代初めには新橋演舞場からテレビ中継される新派の芝居は、中江兆民が勧めた自由民権壮士劇に発している。ところが戦後は明治の叙情を描いた絵師・鏑木清方さえ忘れられている。とうに民権劇の芯を喪い、爆撃に吹き飛んだ花柳情緒を懐かしむ市井のノスタルジー劇と化していくのである。芝居者たちがたどったこういう戦前戦後の道行にも、民権を国権に転ばせる王権マジックが日本橋浜町一帯を覆う霧のように煙っている。

――なんて感じで自分の体内風情を整理したのはじつはずいぶん後だ。

一九六〇年代には、浜町河岸を唄う「明治一代女」の水谷八重子なんてもう誰も知らないです。おばあちゃん子の私も、新派や新国劇なんかとっくに忘れて、ディランやストーンズからザッパやアイラーを聴きはじめた。さらに荒れ狂う疾風怒濤の海に漕ぎ出すのである。そして二〇年あまり。溺れそうな大波をどうにかこうにか泳ぎ抜けて、ふと我に返った一九九〇年代ごろである。

小林セキと祖母、明治生まれの女性二人が蕎麦屋からパン屋。そして豆腐屋から洗濯屋へと身を削る日々を過ごして、どうにか戦争の日々を生きた。窮迫したセキがどんな町の藝能に親しんでいたのかはわからない。彼女たちが生き抜いた些事難事をもう誰も知らないのである。大方の人の名は死ねばすぐさま忘れ去られる。ありふれたことである。ありふれたことではあるが、「食う寝る着る」はミニマムな庶民生活そのもののはず。そんな生業小店の数々も通りからかき消えてしまう。

一年前のジョーカーたちの名前など誰も覚えていない。だから死刑志望者たちの行く末を思うと、しきりに江戸の「無文字社会」がそこに重なる。「つい昨日に起きたこと」を考えるのである。

義民を疑う

藤沢周平はかつてこんなことを書いている。

天保一揆とか、天保義民とか呼ばれている羽州庄内領民の藩主国替え阻止騒ぎは、私の郷里であったことで、郷里では人口に膾炙している話である。（中略）私は子供のころに聞いた。そして一方的な美談として聞かされたために、いつからともなくその話に疑問もしくは反感といったものを抱くようになったのは、いたしかたのないことだった。

（「あとがき」『義民が駆ける』中公文庫より）

「天保一揆」とは歴史学上は「三方領知替え反対一揆」と呼ばれる。領知は領地のことだ。一八四〇年（天保十一年）に出羽庄内藩、現在の鶴岡市を中心にした山形一帯で起きた公儀の方針に楯つく大騒擾のことである。

老中水野忠邦ら幕閣中枢はこの年の一一月、いきなり領知替えを布告する。奥羽の庄内藩を越後の長岡へ、長岡藩を川越へ、関東平野の川越藩を庄内へ連鎖的に転封させるというのである。いわば三角貿易ならぬ三角転封だった。

これはとんでもない奇策である。

大英帝国のフリゲート艦が清の広州港を砲撃してアヘン戦争が始まったのは前年の一一月。Western Impactが目前に迫る。これを理由にして、財力のある親藩を新潟湊警備へ回し、先の将軍の子に農商ともに豊かな庄内領を与える。カモフラージュに川越を付け加えた。西方の海防を大義名分にして幕閣たちの私欲が練り込まれた強引の極みである。海の向こうから近づく風雲の予感が水野忠邦の陰謀好きを誘発したのである。

これに庄内藩全体が反発する。豪商宅や寺社奥で密議が持たれ、公儀隠密の眼を逃れた一〇〇人を超える百姓町人団が江戸市中へ直訴する。これが毎月で六回。さらに山間地で最大一〇万人と伝えられる野外集会が連続的に開かれた。この「大寄」も五か月で八回。その間に農民たちが吹雪の山中を走って東北の近隣諸藩への援助愁訴が続いたのである。

「小前百姓だけでなく、村役人・豪農、豪商、僧侶といった幅広い社会層を結集し、なおかつ庄内藩はそれを黙認するという、じつに奇妙な一揆が発生した」と近世史家の須田努は書いている（『幕末社会』岩波新書より）。小前百姓とは土地の権利も家格もないいわゆる「水呑百姓」のことだ。飛び火を恐れる外様諸藩による転封策への疑念も遠回しに老中へ示される。こうした大騒ぎの果てに、ついに翌一八四一年（天保十二年）七月に転封命令は撤回された。この間、約八か月に及ぶ抗争だった。

組織された合法ぎりぎりの平和的闘争の見事な行政的勝利である。これに一七〇年あまり後の二〇一一年の官邸前反原発行動や、二〇一五年の国会前安保法制反対集会を思う向きもあることだろう。

一八世紀半ばの天保年間といえば、すでに江戸文化が熟した元禄時代から一五〇年たっている。

天保一揆は幕府統治の根幹を揺さぶる大事件の一つだった。これ以前の大事件、「赤穂浪士の討ち入り」は一七〇一年（元禄十四年）三月の江戸城内刀傷事件から一七〇三年（元禄十六年）四月の吉良邸襲撃までを指す。こちらは主君の「仁」に応える家来たちの「義」を称える武家の物語『忠臣蔵』を生んだ。そういう意味で「元禄の華」である。一方で、天保の騒擾には蔵持ちの豪商豪農は出てくるが、主君や忠臣の姿が前面に見えてこない。ということは「仁」も「義」も揺れはじめているのである。これを「長い幕末」の始まりと歴史家は言うべきだろう。いやそういう言い方は明示されていないが、レイモンド・ウイリアムズを借りて勝手にそう名づけたい。

ところが、長くこの騒動は奇妙にできすぎた語られ方をされてきた。歴史はもっとゴツゴツ、ザラザラとしているのではないか。こういう時の手触りに小説家藤沢は敏感だ。故郷を想う歴史語りに疑念の棘が刺さるのである。

藤沢は続ける。

たとえば百姓たちが旗印にした「百姓たりといえども二君に仕えず」は、やはりやり過ぎだと私には思えた。庄内藩は、藩政初期はともかく、その後は比較的善政を敷いた藩で、領内もよく治まっていた。それにしても、封建領主と領民の関係に変わりがあるはずはない。そして封建時代の百姓ほど、苛酷な生き方を強いられた存在はないのだ。「二君に仕えず」

には媚がある、とありていに言って私は不愉快だった。

ここで二君とは、庄内藩主酒井家と川越藩主松平家を指している。まだ京の大内裏にいる＊＊ではない。

丘の上の病院図書室にて

藤沢周平は私には遠い人だった。

二〇年ほど前に東急田園都市線沿いの丘にある病院に入院したことがある。

インターフェロンという抗ウイルス薬の投与のためだ。当時それはC型肝炎の最先端治療法である。ウイルス駆除の可能性があるほとんど唯一の薬剤だった。都心にある肝臓疾患医療で名高い大病院の分院が川崎の郊外にある。駅前からいきなり渓谷になる急坂を下って、さらに喘ぎながら登った小高い丘の上。通院注射の日には受付に長い行列ができる。肝炎の行き着く先は間違いなく肝臓がんである。このころ肝腫瘍キャリアの平均寿命は六〇歳代半ばだった。病棟には全国から患者たちが群がるように殺到していた。

分院の棟屋はすでに築四〇年を超え、建て替えが予定された古びた建物である。肌がやつれたような白壁の中では陽の入りにくい廊下が長く続く。私がいた六人部屋の窓は一〇センチしか開かない。金網がはめられ、その針金も錆びついている。副作用の鬱が昂じて飛び降りる患者がいるからだ。そこまで行かなくとも打てば必ず体が重い。筋肉に鉛を貼りつけられたような気がする。この全身を覆うダルさは長く消えないのである。そんな思いをしてまで化学療法に耐えても、ウイルス消失率は三〇％程度である。消えても肝硬変は進行し、がんの温床であることに変わりはない。多くの者には刑の執行猶予期間が多少延びるくらいである。

DNA操作で合成された新薬で肝炎ウイルスがほぼ一〇〇％消えるのは一五年後、二〇一〇年代だ。病棟には濃い霧のような諦念が漂っていた。それでもベッドのカーテンを開け放つ人がまだ多い。今では古い映画でしか見られない、かつての病室特有の長屋的空間がかろうじて息をしていたころである。

そんな裏長屋の空気をかき混ぜたくなるのが私の悪い癖だ。
うまくいけば真っ昼間の宴になる。六人部屋は五〇を過ぎた国立天文台勤めの研究者から三〇代の自動車部品工場の工員さんまで、まるで雑居房のようだ。東西に長い川崎という町では、西の高台である麻生区辺りの住宅地から東へ、川崎港に近い工場地帯へ下っていく階級構造がくっきりとしている。見たい者にはこの病室がそのパノラマのように見えてしまうのである。

こいつは面白い。ちょうど中間の四〇代半ば、アカデミーにも労働者にとっても得体のしれない私は、この淀みに一摘みの麹を加えてみた。天文学者氏は、私のベッドに投げられた分厚い『フーコー講義集成』(慎改康之ほか訳、筑摩書房)を目の端に声をかけてくる。若い工員さんは競輪選手や女医さんの噂話にすぐさま乗ってきた。私を介して三人三様の病気自慢が始まるのである。ときに快笑し、ときに一触即発。また化合しては一瞬の和気に賑わう。そんなとき、一〇センチの自殺防止用窓の隙間から夏風が病院長屋に吹き込んだ。副作用を診ながら投与し続ける無聊をそうやって紛らわせたのである。

世を捨てられない病人

藤沢周平の小説に初めて触れたのはこの時だった。

この分院には学校にあるような広い図書室がある。生き永らえたのか、ついに病に屈したのか。病棟から去った人たちが置いていった書物が長年蓄えられたものである。国家公務員の共済病院だからその書棚はかなり特殊だろう。その時々の経済経営書から海外事情の類いが多い。それも翻訳本が目につく。吉川英治の全集が並び、山岡荘八や海音寺潮五郎のそれも。大佛次郎はあったかな。池波正太郎の文庫本は溢れるほどだ。戦後近代文学は定番だけか。野坂昭如はじめ早稲田系の無頼漢は隅っこに追いやられ、吉行淳之介や遠藤周作も数冊だ。漫画は子ども用に別扱い。あらかたは高度成長期の官僚やベビーブーマー世代の企業人が残したものだろう。

ここは一九六六年に建てられたから、図書室をよぎった肝臓病患者の大半は娑婆にはいない。とうに天界か煉獄である。人は多くの言葉を呑み込んで去っていく。その末期の眼差しに触れた文字の一端がここにある。つまりこの書庫はダイイング・メッセージのアーカイブに近いのである。

『用心棒日月抄』（新潮文庫）にお目にかかったのは、この静かな部屋の午後だ。

窓から丘を越えて差す長い西陽が書棚を照らしている。戦中戦後に声を押し殺して生きた高級官僚たちの慰めか、企業を避けた、あるいは避けられた街頭世代の端くれにはもっとハードコアじゃなきゃ解毒剤にもならないだろう——。

なんて高をくくって読んだが、これが思いのほか世捨て人の物語である。

柴田錬三郎もいいが、この岡山生まれの慶應人シバレンには江戸前を装った外連がときに鼻につく。当方も同類である。私の恥など捨てるに値しないが、藤沢が描く笠張浪人の含羞には底が見えなかった。それこそ市井。路地の傍らに掘られた井戸は水が濁らず、覗けば水面におのれの顔が映るのである。

さてそこになにが沈められているのか。

休日に分院の坂を下って帰る娘の後ろ姿を四階の金網窓から送る夕暮れ時、梢が騒ぐ影にさえ隣の部屋で逝った肝がん患者の気配を感じる。そういう病の者には『用心棒日月抄』の味は悪くなかった。かなりのものを捨てた者の仕草が、世を捨てられないこの身を落ち着かせてくれたと言っておこう。

一人残らずいつの間にか芽吹いて、いきなり朽ちる。

人が知らずに歩む道に本当は話の筋などない。ないからなにかしらの物語を貪り読む。読まずにはいられない。話をたらふく喰らえば喰らうほどより多く生きる――そんな妄念を抱くのである。そして藁にすがった言葉を呑み込んで今生(こんじょう)を去る。書くとはその言葉を解き放つことだ。藤沢周平を読むようになったのはそれからである。

小箱を開ける

「大逆」を生き、大逆を書いた作家は故郷を捨てた。捨てざるをえなかった。藤沢周平はそういう人ではない。生まれ育った庄内平野の日々と人を切々と慈しむ人柄だ。その人がこう言う。

百姓たちは、なぜ旗印に「二君に仕えず」と書いたのか、（略）そこに彼らの建前的虚飾、つまり百姓側の知恵をみることは容易であり、その見方はおおよそのところで正しいと思われる。事実彼らの行動には周到な計算があったようである。だが行動のすべてをそういうものと考えることは、一面的のそしりを免れないかも知れない。（略）

ここには、たとえば義民佐倉宗五郎の明快さと直截さはない。醒めている者もおり、酔っている者もいた。中味は複雑で、奇怪でさえある。このように一面的ではない複雑さの総和が、むしろ歴史の真実であることを、このむかしの〝義民〟の群れが示しているように思われる。あるいは誤解されかねない義民という言葉を題名に入れた所以である。

長い間にわたって抱いてきた「義民」をめぐる疑い。それに対する自省を含んだこの揺れに彼の姿勢がにじんでいる。

藤沢は一度だけ、友人である共産党員が衆議院選挙に出たときに応援演説を引き受けたことがある（「雪のある風景」『周平独言』山形グラフ連載より）。だがこういう表面的なことだけではないだろう。同じエッセーで述べている。

作家にとって、人間は善と悪、高貴と下劣、美と醜をあわせもつ小箱である。（略）小説を書くということは、この小箱を開けて人間存在という一個の闇、弁質の塊を手探りする作業にほかならない。

いわば庄内の領民は「二君に仕えず」というスローガンを使い回したのである。小前百姓、村役人、豪農、豪商、僧侶それぞれが、自分の利や立場と思いを込めて使い倒したと言っていい。そういう山中に群がり集まった数万人。江戸へ強訴に向かい、大雪を突いて隣藩に走った数百人。小説家は一つひとつの「小箱」の紐をほどいてザラザラした魂の欠片を取り出す。そこに陽の光が差し込む。明かりがつくる光陰を凝視すれば、「主君の仁政に応える」という徳川の御代を支えた美談は、流砂のように掌からこぼれ落ちていくのである。

藤沢周平はその粒一つひとつに光を当てた。

義を解き放つ

天保期は江戸時代でもまれにみる大飢饉の日々である。

それは一八三三年（天保四年）に始まり一八三九年（天保十年）まで七年間も続く。悪天候による広い地域を覆った凶作である。にもかかわらず新将軍就任の儀式に伴い大量の米が江戸府内に集められる。飢餓による栄養失調が招く疫病の蔓延こそ最大の恐怖だったといわれる。

この中で一八三六年（天保七年）八月には、甲州山梨のほとんど全域にわたる「打ちこわし」が始まる。翌年一八三七年（天保八年）の二月には大坂で奉行所の与力・大塩平八郎が元与力の立場で起ち上がる。甲州では在地の村や町からはぐれ落ちた遊侠の徒が加わって、次第に集団で盆地を練り進む「悪党」たちの騒擾と化した。大坂で起きたのは、民の困窮や町方の腐敗への怒りに直面する武家支配末端の反乱である。

かつて百姓一揆や強訴、打ちこわしといった民の集団行動は、宗教の大きな影を含めていずれも「民衆の抵抗闘争」として捉えられてきた。藤谷俊雄『「おかげまいり」と「ええじゃないか」』（岩波新書）が代表的だが、これも一九六八年の作品である。

それに対して先に述べたように、以降の政治と労働の言説が絡み合う歴史学の抗争の中で現れたのは、暗黙の公共的装置として騒乱を把握する考え方だった。つまり藩主たちは貧民の不満に対して暴力をちらつかせながらありがたい恩寵を与える。名主や庄屋も抗いつつ、一定の人身御供を差し出して改良の実を得る。壊滅まで争う中世戦国の土一揆や一向一揆と違い、政治的象徴的な折衝の形式として江戸の中期までには成立していたとされるのである。戦後史学の基軸が大きく揺れる中で、研究者たちは「武威」と「仁政」の統治バランサーとして「一揆」の実質をつかみ出そうとした。

天保の大飢饉はその作法とスタイルが崩れる始まりだった。一八四〇年（天保十一年）に起きた庄内の一揆は「大塩の乱」から三年後。アメリカ海軍東インド艦隊のペリー提督率いる四隻が浦賀に船影を現すのは一八五三年（嘉永六年）。庄内の強訴からさらに一三年後である。

各地で勃発した騒動では多くの場合、さまざまな者たちによってそれぞれの「百姓一揆物語」が創られていく。これらの一つひとつは藤沢周平のいう小箱が詰まったいわば「大箱」である。一揆の指導者を殺され、姻戚や自らも投獄され傷を負った人びとは物語に飢えている。しかし、一人ひとりの小箱がそうであるように、大箱の読み方も一筋縄ではいかないのである。

庄内でも三つの記録が編まれたという。先出の『幕末社会』を著した須田努は、小説家とはまた違った手つきで大小の箱を開けようとしている。

これらの記録（史料）は、庄内の人びとの勝利の記憶を庄内の〝美談〟として保全していった。しかし、そのような〝事実〟があたりまえであったならば、あえて語り記録として保全する必要などないであろう。仁政が揺らいでいるからこそ生まれた〝美談〟なのである。またいっぽう、甲州暴動・三方領知替え反対一揆という、相反するタイプの騒動・一揆が同時代に併存していたことに注目するならば、仁政は揺らいではいるが完全に崩壊していない、という理解が可能となる。天保という時代は混沌とした幕末への入り口であった。

「仁政」の後光は江戸末期には藩主からも将軍家からも消えていく。ところが世界史に向けて立ち昇る下民たちの噴気は、維新内乱を通して、錦の御旗に吸い込まれていく。「仁」の恩寵は京都土御門東洞院に居を構える＊＊に受け継がれたのである。水戸学の『大日本史』は、そういうメタ物語として『太平記』をめぐる芝居や語り物に刷り込まれていったと、一度はいえるだろう。

しかしだ。

二一世紀に入って歴史の時計は大きく巻き戻された。

再び仁と義の結びつきは揺らいでいる。

もはやそんな「仁義」など犬に食わせよう。

「義」を「仁」から解き放つ時が来ている。

街中には無数の目に見えない小箱が転がっている。それらはオウム鳥に転生するジョーカーのマジックボックスばかりとは限らないだろう。

そういう「義」の原石が秘められた小箱を開けてみたいのである。


（二〇二二年四月）

8　忘れられた民

タヌキの提灯

私たちはほとんどなにも覚えていない。
記憶する大脳の中枢「海馬」を破壊された民だ。
呆れたことに、忘れたことさえ忘れている。
だが極東の島々にはもともと天津神も国津神もいなかったのである。

小さな神々が野辺のそこら中にいた。
たいして昔のことではない。
それを思い出したくて、瀬戸内の島の山深く一匹のタヌキに会いに行ってみる。

——ある日、日が暮れかけて、谷をへだてた向こうの畑を見ると、キラキラ光るものがある。何だろうと祖父に聞くと、「マメダが提灯をとぼしているのだ」といった。マメダというのは豆狸のことである。マメダは愛嬌のあるもので、悪いいたずらはしないし、人間が山で寂しがっていると出てきて友だちになってくれるものだと教えてくれた。実はこれは栗畑の鳥おどしに鏡のかけらを下げていたのへ、夕日が反射して光っていたのである。

これはほぼ一〇〇年前、瀬戸内海に突き出た山口県周防大島の山の中で一人の少年が経験した出来事である。陽が落ちていく山間で孫が祖父と言葉を交わす一場面。いまでもGoogle earthで宇宙空間から下降し、時計の針を高速で巻き戻しながら山腹に降り立てば、こんな光景に出逢えるだろう。鏡の照り返しにタヌキの提灯を見たという爺さんがいる。愛嬌があるのはこちらだ。「マメダ」はこの年寄りではないか。しまいには黒い小犬や井戸の亀、ミミズやカニやカラスまでこの話に顔を出すのである。

ジブリ映画かって？　たしかにまるで『平成狸合戦ぽんぽこ』のようにも読める。逆なのだ。監督の高畑勲自身がこのシーンに引き寄せられたのである。遺された彼の蔵書の中にこの場面が出てくる本がある。映画のほうは、ジャズに憑かれた古今亭志ん朝のナレーション、上々颱風の陽気音楽、「化け学」と名付けられた分子生物学的変態、三里塚空港から中央線沿線の再開発までの寓話などなど。語りたいことは多摩丘陵に山ほどあるが、いずれまたにしよう。

この八歳のときから四五年たった一九六〇年に、マメダのエピソードを書き残した少年の名は宮本常一。山道で語るのは宮本市五郎という彼のお爺さんなのである（「私の祖父」『忘れられた日本人』、岩波文庫より）。

この爺さんが主役だ。一八四六年（弘化三年）に周防大島旧東和町、白木山の麓で生まれている。ということは列島に一揆が頻発した「長い幕末」が始まる天保のすぐ後。幕末から明治にかけての内乱や民乱が彼の青年時代真っただ中である。

翌一八四七年（弘化四年）には薩摩の鹿児島加治屋町で東郷平八郎が、長州山口の萩では桂太郎が生まれた。日露戦争時の連合艦隊司令長官と内閣総理大臣である。市五郎は八〇歳まで長生きして一九二七年にこの島で死んだ。大島は周防国の最南端で長州毛利藩の領内である。だが市五郎さんには薩長の軍人や政治家などまるで無縁。山で生きる「豆狸」たちのほうがずっと近しいのである。

――さて、マメダがキラキラする提灯をとぼしてくれることが、夕暮れのひとときの大きな慰めになった。それから後、山の奥で木を切る斧の音がしても、山の彼方で石を割るタガネの音がしても、みんなマメダのしわざではないかと思うようになったが、そう思うことで山の奥、山の彼方へ心をひかれるようになった。

「どこにおっても、何をしておっても、自分が悪いことをしておらねば、みんな助けてくれるもんじゃ。ホイッホッイというような声を立ててな」。小さい時から聞かされた祖父の言葉はそのまま信じられて、その後どんな夜更けの山道を歩いても苦にならなかったのである。

引用文はすべて『忘れられた日本人』から。読みやすいように少しだけ漢字に直している。

アナルコ・リミックス

一〇〇年も前の瀬戸内の島に棲むタヌキがどうしたって？

原発震災や気候崩壊、コロナ禍が次々と列島に押し寄せる。

終末を告げる黙示録の鐘はいつまでたっても鳴り終わらないのである。

そこに藪から棒でウクライナ戦争が始まった。

またぞろ国家と国家がぶつかり合う戦塵が惑星を覆っている。

この旧帝国的カオスに、ようやく地球上で再び語られはじめたアナルコ・ファンタジーは溶解してしまうのだろうか。


そう思うのも無理はない。

ファンタジー嫌いのスラヴォイ・ジジェクも「地球的クライシスは帝国主義戦争のテーマに引き戻された」と言うのである。

こんなときこそ時を攪乱する天邪鬼の出番だろう。

東京の都心部では時々ハクビシンやアライグマが現れる。そんな風に「忘れられた民」を体の中から引き出してみたいのである。旧石器時代や南アメリカ奥地の先住民共同体に赴くまでもない。自分自身の身体にピエール・クラストルの問題圏をリミックスする。そういう仮想体験が自分を「国家を遠ざける民」に近づけてくれるのではないか（ピエール・クラストル『国家をもたぬよう社会は努めてきた』酒井隆史訳・解題、洛北出版）。

市五郎青年の幕末

宮本市五郎は島では中農の家の次男だった。

中農とはいっても山の中腹にある段々畑である。そのうえ家を離れて大工になった長男は帰るたびに土地を売り、田畑は削られていく。とにかく貧しい。畑仕事に薬仕事、おまけに日雇いで他家の助っ人稼ぎ。朝から晩まで働いたが、石垣造りが得意だった親譲りで山道の普請にも腕が立つ。よく通る声で歌も話もうまかったという。

網野善彦がいう「百姓」はつまり百の姓（かばね）。かばねは古代豪族の職掌を示す詞だが、より古く古代朝鮮語の屍や骨（ともにカバネと読む）を語源とする説が有力らしい。要するに民人たちが手仕事や土木に小商い、なんでもする小さな地縁血縁の連結体のことなのである。

市五郎はそういう百姓だった。この爺さんと常一は一〇歳くらいまで一緒に寝ていた。そして寝床でたくさんの昔話を聞かされる。村の地面や土間に座り込む聞き上手の民俗学者はこうして育った。

こんな話も残している。

幕府が崩壊する二年前の一八六六年（慶應二年）に第二次長州戦争が起きる。島の人びとはみんな山地に難を避けた。数え年で二一歳の市五郎は「戦の人夫として出ていっていた」とだけ宮本常一は書いている。市五郎青年が向かったのは高杉晋作の奇兵隊なのか、その工兵的な人足なのか。周防地区でちょうど第二奇兵隊（南奇兵隊）が起ち上がったころである。事情はよくわからない。「虫も殺せぬほど温和な人であったが、戦の起こる前、農兵の訓練に引きいれられて、毎日剣道の稽古をした。そして技にはかなりの自信があったらしい」とさらりと続けている。

このころ天狗党の恐怖や世直し騒動をきっかけに各地で農民たちが武装しはじめていた。藩命であれ自発的であれ勤皇か佐幕か、あるいは豪農名主の自衛なのか、それとも豪商を襲撃するのか。立場や目的はさまざまだが、郷村から代官は逃亡するし藩兵も味方ではない。明らかに士農工商の身分が崩れる兆しである。時勢に敏感な高杉はそうした農民の行動力を討幕運動へ吸い上げたのである（須田努『幕末の世直し　万人の戦争状態』吉川弘文館より）。奇兵隊には「被差別部落」地域から一隊ができるほど参加する者たちが出たという。

近代国民国家軍のはしりかって？

そうは問屋が卸さないのである。それどころか米問屋が焼かれる。

一八六三年（文久三年）の奇兵隊発足当初、下関で「百姓兵」と愚弄された農兵たちはさっそく藩士だけの撰鋒隊と衝突している（教法寺事件）。さらに維新後の一八六九年（明治二年）には、用済みで解雇された一二〇〇人が隊内で反乱を起こして集団脱走した。石見銀山を管轄する裁判所を襲撃。そこに一揆の百姓たちも合流して一八〇〇人に膨れ上がり、三週間にわたり山口県庁舎を包囲したという。逃走した一隊は瀬戸内海で海賊となったという伝説さえ残されている。

なんてことはもちろん高校日本史Bには載っていないのである。

周防大島の穏やかな無礼者

では青年市五郎はどうしていたのか？

——仲間三、四人と歩いていると二人の武士に出あった。狭い道なので、つい相手の刀のこじり（鞘の先）にさわった。するとその武士はいきなり「無礼者」といって市五郎を叱りつけた。あやまったが、あやまり方が悪いといって文句をいう。

まるで時代小説の定番そのもの。絵に描いたようなワンシーンである。

事実こういうことは、いくらでもあったのだろう。今もずっとある。ここでは一気に時空を飛んでやや飛躍したケースを挙げよう。

アメリカ連邦議会上下両院を通じて初めての日系人議員になったダニエル・イノウエという人がいる。第二次大戦末期のイタリア戦線でナチ軍と戦い、手榴弾で右腕を失ってもなお引き下がらなかったことで高名な軍事英雄である。戦後は弁護士から民主党員として連邦議会に出馬し、二〇一二年の死去まで合衆国上院仮議長を務めた。父は福岡八女、母は広島安芸からの移民で、ダニエルはハワイで生まれている。「慰安婦」や原爆投下の責任問題をめぐる民主党議員としての彼の立場についてはここでは措こう。

そのダニエル・イノウエは一九五九年下院に初当選したときに来日している。そして当時の首相岸信介を表敬訪問した。ところが「いつか日系アメリカ人の大使として赴任するかも」と軽いジョークを口にした彼に向けて、岸はいきなりこう答えたのである（「日系アメリカ人の〝日本〟」NHK ETV特集、二〇〇八年九月二八日放送）。

「日本には由緒ある武家の末裔、旧皇族や華族の関係者が多くいる。彼らが今、社会や経済のリーダーシップを担っている。あなた方日系人は、貧しいことなどを理由に日本を捨てた

〝出来損ない〟ではないか。そんな人を駐日大使として受け入れるわけにはいかない」

ダニエルはこのとき三五歳。出会いがしらの岸に「この無礼者」と面罵されたに等しい。残された左手を握りしめたことだろう。移民の子は格式ある武家の嫡男の沽券に触れたのか。岸信介の曽祖父は吉田松陰に兵学を授けた長州藩士、祖父は藩に仕えた漢学者、父は山口県庁官吏である。彼の弟や孫はいうまでもない。長州の地からは今でもこういう立派な方々が輩出しているのである。

では白木村の百姓市五郎は長州藩士にどう応えたのか。

――「それではお相手しよう」といって市五郎は脇差を抜き放った。これには二人の武士もハッとしたらしい。やはり刀を抜いて立ち向かわざるを得なくなった。百姓仲間はあっけにとられて、なすすべもない。二人に一人である。正眼にかまえて動かない。ちょうどそこへ少し強そうな武士が来て、事情を聞いて両方の刀を収めさせたという。

民俗学者・宮本常一の中にはもう一人の時代小説家が棲んでいる――。

葉室麟という九州小倉の作家がいる。

さながら彼の作品の一場面である。五年前の二〇一七年に世を去った葉室は同世代の私の中でまだ存命している。彼は武士が主人公ではない時代小説、決して刀を抜かない侍の物語をいくつも遺した。ありえない時代物を「発明」した書き手である。絵師や茶人、書家や庭師たちの生き方を正面に据えた、文藝復興時代小説ともいうべきジャンルを拓きかけて残念ながら六六歳で横死している。

森元斎が『国道3号線』で彼について触れたのは納得がいく。新聞記者として上野英信や松永伍一に親しく接した葉室麟はおそらく宮本常一を読んでいただろう。

常一は、市五郎爺さん本人からそんな武勇伝を聞かされたわけではない。そこがまた葉室作品を思わせるのである。

――この話は祖父の口から聞いたことはない。七十あまりになったとき、村で剣道の試合が流行って「爺さも剣道をやったそうで出てみないか」とすすめられ、身体の不自由なのをしのんで出たことがある。どうせ田舎の人たちのことであるから大した者もいなかったが、どの相手も見ごとに打ち負かされる。見ていて胸がすくようであった。仕合がすんでから「どうも息切れがするから」といって再び仕合をしようとしなかったが、そこにいた人たちがみな驚嘆した。そのとき仕合を見ていた老人の一人が、昔武士と斬りあいをしようとしたときのことを話してくれた。この老人は市五郎と一緒に軍夫として出ていっていたのである。

サワガニのハサミ

そして常一は市五郎について肝心なことを言う。

――「納得のいかぬことをしてはならぬ」というのが祖父の信条で、蚕を買うて金をもうけることは大切だが、そのために、米麦をつくる場所をせまくすることには賛成できなかった。だから自分は古いことを守ったが人に強いたわけではない。自分だけは自分の納得のいく生き方を生涯通したかったのである。

六〇歳になった爺さんは、働いても増えるだけの借金を息子の善十郎に任せて隠居する。常一の父にあたる善十郎は、借財を返すために白木山の斜面に続く段々畑に桑を植えたのである。その原資も借金だった。それでもけっして息子に手を貸さないのである。粟や稗から脱して、斜面の米作に費やしたのが市五郎の一生だからだ。かなりの頑固者には違いない。しかしこの頑固には別の顔がある。

──春から夏へかけてのころ、(畑の) 溝の穴からカニがよく出てきた。ヨモギの葉をもんで、それを糸でくくって、穴の口へ吊りさげて動かすとカニが出てきてハサミではさむ。それをうまく吊り上げる。子供にとっては楽しい遊びの一つであった。吊ることには賛成だったが、「カニをいじめるなよ。夜耳をはさみに来るぞ」とよく言った。

こんなことは、ちびまる子ちゃんの爺さんでも言うだろう。だが常一は続けている。「そのカニのハサミをもぎ取ると「ハサミはカニの手じゃけえ、手がないと物が食えん、ハサミはもぐなよ」と戒めたものである」。

サワガニの「義手」が見える。
市五郎の眼と体は喪われたカニの手を仮想している。
奇妙なことにカニに「義」を感じているのである。
常一はその前のところで「こういう人たちは一般の動物にも人間と同じような気持ちで向かいあっており、その気持ちがまたわれわれにも伝えられてきたのである」と書いている。

これは内海の島で名もなく朽ちた小さな善人の所業にすぎないのか。

カニの苦しさを感じとる。たしかに誰にでもあること、少なくともかつてはあった平凡な心の動きなのである。そして「申命記」が語る以下のような事態もまた、古く人が成してきた所業に違いない。

彼らは神ならぬものをもって
わたしのねたみを引き起こし
むなしいものをもって
わたしの怒りを燃えたたせた。
それゆえ、わたしは民ならぬ者をもって
彼らのねたみを引き起こし
愚かな国をもって
彼らの怒りを燃えたたせる。
わが怒りの火は燃え上がり
陰府(よみ)の底にまで及び
地とその実りをなめ尽くし
山々の基(もとい)を焼き払う。

（『申命記』三二章二一節〜二二節）

善人であろうと悪人であろうと、王や国家、神や資本はどこまでも取り憑いてくるのである。どうやってこの災厄を追い払ったらいいのか。

盆の闇に「くどき」が響く

一九二七年（昭和二年）の夏八月、死者を迎える盆の夜だった。

その日の夕方まで市五郎は山道の修理に励んでいる。朝めしはお粥のどんぶりに漬物。午前中に畑仕事を切り上げて、オイコ（竹を編んだ背負い籠）をしょって一人で山に向かう。「盆が過ぎるとまた人がよけい通るけえのう、休みの間に直してやらぬと……」という。このころ農村ではまだ二食なのである。

市五郎は夕方に帰ると、さっそく夕飯をすませて盆踊りに出かける。森の奥に佇む古寺の境内だろう。八〇歳を超えて歯はもう一本も残っていない。江戸時代の豪商でもツゲの木の入れ歯、このころの山の中に総入れ歯なんてあるわけがない。それでも謡いたいのである。盆踊りは一遍上人が広めた「踊念仏」が起源といわれている。

市五郎は「くどき」が誰よりうまかった。

——さびのある声で音頭をとらせても、くどかせても踊り子たちの踊りをピタッとそろわせる力をもっていた。音頭は華やかだが、くどきになるとしっぽりとなって、くどきの声、太鼓の音のほかは、踊り子も水を打ったように静かに、そして夢みるように踊る。

「くどき」は浄瑠璃に発するという。

瑠璃とは海溝の底に眠る蒼く澄んだ玉。サンスクリットの語幹から転じて浄瑠璃とは薬師如来の浄土をさす。心に秘めた想いをしめやかに謡う喉の藝である。闇夜がその舞台。「さび」は寂や錆に重なる。声は森の奥へ深々と響きわたっていく。「口説き」とはさざ波のような誦句の繰り返しである。迫っては押し返す言葉を通じた男と女の交わりだが、異性への恋歌とは限らない。

この時分はラジオ放送が始まってまだ二年。この島にマイクやスピーカーは届いていない。生歌に手拍子、三味線や太鼓というところだろう。広場に裸電球が灯される。すると周りの木立がほの明るく照らし出された。奥に続く森はコーンスピーカーの林。さらに谷をウーファーとして低音域が響いただろう。

白木山は標高三八〇メートルほど。その四方は月光がたゆたう瀬戸の海である。夜が更けるほど山から海へ涼しい風が吹く。「くどき」の謡いは青漆色に染まる山塊をめぐって島に眠る魂の群れへと届くのである。円くなって踊る村人はもちろんのこと、タヌキや亀、カニやカラス、虫たちや魚さえ陶然となるだろう。

これは「和」なのか。「ヤマトの美」と受け取るのはいかにも貧しい。

この豊潤な森厳をワーグナーの心霊オペラ劇場や、作り込まれた伊勢神宮の荘厳舞台とは区別したいのである。むしろ島人の喉を通じて東南アジアの多島海へ、盆の闇夜を伝ってインドシナ高原のゾミア世界へと、海馬をめぐる神経網を培養してみたいと思う。

その深夜である。市五郎が倒れたのは。

死因を「嗜眠性脳炎」と宮本常一は書いている。ウイルス性らしいが病原体は今も特定されていない。三日後、市五郎はさして苦しい思いもせずに亡くなっている。最後に民俗学徒は、墓碑銘のようにこんなエピソードを刻み付けている。

——祖父が死んだあくる日、近所の老人が祖父名義の貯金通帳をもってきた。それは自分の葬式の費用にするためのものであった。この通帳を預かっていた老人は、その昔私の家を焼いた少年であった。青年のころにはすこし気が変になっていたのを祖父はよく面倒を見てやった。青年はそれから四国巡礼に出て長い間帰らなかった。もどってくるとすっかり元気になっていた。そして小商売をはじめた。正直で親切で貧乏人にはよい味方であった。祖父にとっては自分の家へ不幸をもたらした人だったけれど、信頼してずっと年下なのにかかわらず、何事も相談していたようである。

「くどき」の謡いはこうしたところまで響いていたのである。

海馬を鍛える

また別の日。

宮本常一は橋の下で暮らす乞食の声を聞き取る（前掲「土佐源氏」より）。

場所は高知の山深い檮原村。出会った人はとうに八〇を超えている。土佐の山中でむしろ小屋に住む老身は盲いていた。小づくりながら若いころは馬喰。「ばくろう」と読んで馬の売り買いをする怪しい小商人のことである。山から山への流れ者。一度も学校に行かず文字は読み書きできない。親も子も兄弟もいないという。

家なしのまま舌先商売の果てに女色に溺れた。何人もの女たちとの不義悲恋が語られる。力づくではない「虫けら」としての情が人を引きよせる。そのせいで目がつぶれたともいう。それから三〇年は物乞いの明け暮れである。藁に座り込んだこの懺悔の語りを「土佐源氏」、つまり「四国山中の光源氏」とあえて常一は呼ぶ。薄絹の衣に包まれた貴顕の物語とは違う、荒れ寺の床に転がる汚泥さながらの色情があるのだ――と。どんな者にでも髄深く本能が沸き立つ。民俗学徒はその愛しさと悲しみを知るのである。

その道すがら、土佐寺川の原始林でさらに一人の老婆に逢う。あるかなきかの髪の毛、コブだらけの頭蓋。ぼろ布をはおり、汚れた風呂敷をタスキ掛けにしている。一見して男か女かわからなかったという(前掲「土佐寺川夜話」より)。

その姿に民俗学徒は山奥の藪道で立ち尽くす。

レプラ患者というからハンセン病である。伊予から来て阿波へ抜ける道を聞かれる。四国にはこの病を負う者が多いという。「こういう業病で人の歩くまともな道を歩けず、人里も通ることができないので、こうした山道ばかりを歩いてきたのだ」とかすれ声が呟く。

そういう者たちしか知らない山中の道筋がたしかにあるという。それは獣道とも盗人道とも違うと、古く山人たちに伝えられている。小さく病んだ老婆に声をかけたのはシライという峠に着く前だった。聞き上手の舌が萎える。後ろ姿を送る眼(まなこ)が辛い。その曲がり切った背中を彼は振り返ることができなかった。

宮本常一はそういう隠された民の道を歩んだ。

後に彼は自分の研究対象を「無字社会の生活と文化」とはっきりと述べている。

さらに、日本の古代は「統一せられた一色（ひといろ）の文化の中にあったのだろうか」ともいい、「別の系統の文化」の存在を指摘した――と網野善彦は説いている（岩波文庫版の前掲書解説より）。


瀬戸内海を隔てて直線距離で五〇キロ。周防大島の対岸に伊方原発の邪悪な光源が姿を現したのは、一九二七年に市五郎が逝ってちょうど五〇年後の一九七七年である。

自分自身も忘れてしまった海馬の道をたどり直し、四方四海に新たな道を探してみたいと思う。おのれの海馬を鍛える。

私の体はもはや分子生物学的アンドロイドに近い。だから今もどうにか生きている。

「納得のいかぬことをしてはならぬ」と市五郎や常一を導いてくれたタヌキの提灯も、人の手で作られた鏡の欠片だったことを覚えておこう。


（二〇二二年五月）

9　風に吹き飛ばされる人びと

Kおばさんが来た日

暑い熱い真夏の日中である。
すこし腰の曲がったおばさんが黒い日傘をさして路地を下ってくる。
顔が隠れているが、髪は白髪まじりでメガネが丸い。
あ、Kさんか。

といきなり、

「あんたたちを誤解していた」と切り出す。

「あの連中の仲間じゃなかったんだね」


半島人らしいイントネーションが庇の影に響いた。

三メートルの路地。上から頭骨を焼く日光と下からたぎるアスファルトの境い目。

カウンター前のコンクリート床に右脚がかかる。

メガネの中の眼は母のほうを向いていた。


気温三七度、室温四一度。

真夏の洗濯屋は釜の中だ。店そのものが発熱している。

奥に高さ二メートルのガスボイラー。蒸気アイロンと電熱アイロン計三台。一〇〇×五〇センチの熱盤が上下するプレス機と半ズボン姿の一家四人で夜中まで働く町工場である。

Kさんの家も負けてはいない。

生業はまだ「トルコ風呂」といわれた時代の特殊浴場だ。我が家から右隣の元青線バー、美容院と坂道を二軒上ってすぐ右に折れる。表は城の石垣を模した看板建築で裏はモルタル家屋。密集したこの一帯でうちとは背中合わせである。二階の裏窓から首を出すと向こうの瓦屋根にも大きなボイラーがどんと載っかっている。夏ともなれば二つのボロ屋は競い合って熱波に煮えた。

「あたしたちの土地を奪ったTの親戚だと思って、恨んでたんだよ」

「違ったんだね」

「悪かったよ」

言い方はぶっきらぼうだが、はっきりそう言葉に出した。

Tは我が家とは遠縁の同じ洗濯職人。親父の先輩である。国破れて小悪党あり。焦土に巻き上がった闇市の砂埃に紛れて、洗濯屋稼業をしながら赤線経営に手を出し、稼いだ悪銭で焼け跡の土地を買いあさったという噂のある男だった。赤線稼業に金を出した悪仲間がいる。こちらは地元の遊び人でガタイが大きい。暴力担当である。Tは東北のくぐもった口跡ながら説教めいた屁理屈に長ける。そういうアコギな話が子どものころから耳に入っていた。Tは五〇代で復興景気と高度成長に乗って近辺にいくつもビルを建てていた。

突然の言葉に母はしばらく眼を見開いている。

するとおもむろに、

「そうですか」
「あの夫婦には長い間、自分たちも嫌な思いをさせられてきました」
「わかってもらえれば、もうなにも言うことはないですよ」

赤い腰巻の天使

そんなことを言う母を見たのは初めてだ。

戦中に西多摩の五日市から奉公に来て三〇年以上。巻き舌が滑らかな下町気質とは無縁である。この町内は竹中労が執拗に書いた「三国人ヤクザ」のシマである。それは深夜の顔。昼日中は金と力に這いつくばる列島人が跋扈する。その裏で暮らす朝鮮人、台湾人、南島人たちについてなにか話す母の姿は記憶にない。私はまだ二〇代後半である。半島と列島をめぐる葛藤についての知識はいくぶんか脳内に蓄えた。だが半島人たちが生きる苦い時間の傷を実際にこの眼で見たことはなかった。

それが生身の切り口として現れた一瞬である。

母はＫおばさんに冷たい麦茶の一杯も出したと思う。

炎天下の新宿二丁目、陽炎の中に「歴史の天使」がそっと舞い降りる。旧赤線地帯は大量の人骨が沈む沼である。だから堕天使だろう。クレーの絵は細線とパステルカラーが踊るモダンバレー、この街にはどうも似合わない。大学教授になれなかったベンヤミンをアカデミーの中でだけいじってどうなるのだ、と内心の声が言う。

Ｋさん一家は歌舞伎町にもやや広い店を構えている。

十数年来、一家の特殊浴場は我が稼業の上得意であった。「トルコ風呂」の発祥は戦後の銀座か、それとも戦中の上海租界か。諸説あるらしいが、性風俗として一大業態を成したのは一九六四年の最初の東京オリンピックがきっかけである。付き合いはそのころからだろう。このお風呂屋に洗い物はつきもの。赤い腰巻きから大小のタオル、人工シルクの羽織や金ぴかの暖簾まで。大学をドロップアウトして、配達受け渡しに裏口をくぐった回数は数知れない。ガキの私は「トルコ風呂」の興隆をお得意さんの賑わいとして現認したようなものだ。アナトリアの人びとには申し訳ない。野坂昭如『エロ事師たち』（新潮文庫）はじめ、この時代この水商売が帯びた金ぴかの生臭さを嗅ぐには「トルコ風呂」という無礼な言葉を重ねるしかないのである。

だから毎日のようにＫさん一家とは顔を合わせる。

それでもなにやら感じていた。
どうもヨソヨソしい。なにかが鋭く喉に刺さっている。
済州島から来たと聞いたが、やっぱり一度は海峡の荒波に洗われるしかないか——。

その日から訝しい声音が消えた。
梁石日『血と骨』(上下・幻冬舎文庫)が出る二〇年前。あれから半世紀近く、Kおばさんが
T夫婦と我が家の腐れ縁について誰からなにを聞いたのかは、結局のところわからないままである。立ち話から一〇年余り、真っ赤なランボルギーニ・カウンタックに乗った息子の世代で「ソープランド」は二軒とも消え去った。以来、Kさん一家がどうなったかは伝わってこない。うっすらと耳に入ったのは、あの息子が川崎にいるらしいという風の便りだけだ。

二〇二二年の夏、四五年前の路地裏芝居でこのシーンを演じた役者たちのほとんどは鬼籍に入っている。鬼籍とは閻魔大王が三途の川の法廷で見る現世の採点簿である。半島人たちに仏門やヒンドゥーの閻魔信仰は縁遠いだろう。死んでまで異境の地獄で裁かれてはたまらない。灼熱の日、今でも私は二丁目の辻に差しかかると、腰の曲がったKおばさんに出くわす陽炎を見てしまうのである。
焼け跡での土地所有権をめぐる紛争がどのようなものだったのか、もはや調べようがない。そ

もそも半島から来た人にしてみればここは嘘でできた国。まっとうな民法の適用を受けることは至難である。Kおばさんの口ぶりに忍んできた怒りを感じ取る程度には、ようやく坂道のガキも歴史の熾烈を知ろうとしていた。

これは東アジア反日武装戦線の爆破闘争と逮捕から数年とたっていない、ある日の出来事である。表通りを歩く人にはどうでもいい裏道の立ち話だ。

「過去という本にはひそかな索引が付されていて、その索引は過去の解放を指示している」(『歴史の概念について　Ⅱ』野村修訳、岩波文庫)——という四八歳のベンヤミンの言葉は、こういうところで生きる。索引はパサージュ論としてパリの図書館に遺された。

路地の物語を演じた子孫たちも存命しているが、あえて路傍のエピソードという小さな付箋を立てておきたい。

外連の劇場

「もういいだろう」と言いながら、なおこの色街の道筋について語らざるをえないのである。どうしても引き戻されてしまう。なんとも因果な人間というほかない。

かつて私の書くものに「外連味しかない」と、あるフランス思想研究者に言われたことがある。「黒い現代思想」の秘められた系譜を探る彼の言葉は的を射ている。外連とは大衆演劇のあざとい演出、芸の道を外れた派手な大仕掛けのハッタリをいう。事実、私はこんな禍々しい外道芝居の中で生きてきたからである。聖書やクルアーンはいうに及ばず、水滸伝三国志金瓶梅、西鶴近松、ボードレールの悪い街やボルヘスの綺想都市から、野坂昭如の迷走する戯作、山田風太郎の伝綺史伝やエルロイの極悪小説、近ごろでは小林坩堝の詩集『小松川叙景』（共和国）まで、ナイフで下腹を突かれるような外連味を心地よく感じる自分はたしかにいる。


しかし今回あらためて発見したのは、ここが袋小路ではなく「坂道」だということである。

駅から新宿通りの尾根道を四谷へ向かい、二丁目の辻を左へ。そこから遊廓の塀際まで下る標高差八メートルくらいで長さ一七〇メートルほど、歩いてたった三分の坂道である。

この目立たない斜面を誰が通り過ぎたのか？


その前に一つだけ。

我が家は特別な一族ではない。

それどころか「下民」と呼ばれても仕方がない出自である。

以前にも書いている。文盲に近い祖母は文京区の西側、外堀の縁にある小石川の豆腐屋で生まれている。父親は足尾にほど近い栃木南部の大工の次男。母親も西多摩は五日市街道沿いの半農半洗濯屋で育った長女。すべて生業は小店や職人、百姓である。地縁血縁のほかに自営業者のネットワークがある。関東平野の小さな自営商店家族の多くはこういう血族を通じた職域コネクションの中で維持されてきたと思う。大正生まれの両親とも尋常小学校しか出ていない。

戦前に共同印刷争議や治安維持法で弾圧された共産党獄中者たちの家族会が今もある。さらに反日武装戦線の家族たちを知ってあらためて感銘を受けたのは、多くの親が戦後の解放期を生きた教師だったことである。つまり子どもたちが突き進んだ矯激な政治行動を理解する歴史的教養の受け皿が、彼女や彼らの体内には息づいているのである。

黒川芳正+佐々木健『母たち』、キム・ミレ『狼をさがして』という二本の映画の主役は母親たちなのである。世代を超えたこの柔らかな教養が反日派のドラマを成り立たせている。新左翼でも個人より党の理念に生きたレーニン主義武闘派の親たちは孤絶し、自死の道を選んだ者が多かったように思う。タワマンだろうが、ツリーハウスだろうが、この島の人びとはいつまでも村八分が大好きである。目配せだけで人を崖から突き落とす。こういう島では普遍を語る理屈だけでは脆いのである。

私の親たちにはなにもない。
購読紙は長く読売新聞だけ。家中どこにも本らしい本はない。一九七〇年代まで祖母と父は自民党員である。同じ大正時代に信州から出てきて開業した近所の酒屋の主人が区議会議員になる際には、親密かつ熱心な後援会のメンバーを務めたこともある。まあ町内会の大得意だからだ。確たる理屈など脳の重箱のどの隅をつついても出てこない。有力者だったこの酒屋は当時Kさんの「トルコ風呂」のすぐ先にあったが、後に起きたバブル崩壊で不動産を一つ残らず失い一族は町を去っている。一夜にして行方不明。いっぽう身を粉にするしか能がない我が家族はトルコの泡のおこぼれ程度。黄金のバブルは頭上を過ぎてゆく。地場で小さく生きてきた鈍重さがかえって身を救ったのである。

だが、そんな親たちでもふだん口にしない一線があったと思う。
「もう戦争はイヤだ」だけではない。
「不義には手を染めない」ということである。

井戸のコミュニズム

祖母にはこんなことがあった。

一九五八年三月に売春防止法が完全施行されて、表向きは買春行為が一帯から消える。別の商売に向かう者やモグリの買春業態を探る人もいたが少数。赤線青線でしのいだ者のうち、帰れる者は故郷に帰り、多くは大都会のどこかに吸い込まれていった。ところが蓄えがない。親類縁者もいない。いても会わせる顔がない。そんな理由でこの町でひっそり隠れ暮らす者も一定数いる。売春防止法の発布施行から一〇年以上たてば、彼女たちも四〇～五〇代になる。

路地の奥まったアパートに佇むそんな女たちに、祖母は惣菜や菓子の類い、ときには生活費の援助をし続けた。昔の縁と恩を忘れまいという古風な気概が小学生の孫に伝わる。狭苦しい四畳半で火鉢を前に座る女たちに菓子の包みを届けたのは、なぜかいつも長男の私だったのである。

樋口一葉『にごりえ』、それとも川島雄三の映画『洲崎パラダイス　赤信号』。そんな岡場所ものの後日談のようだ。こうやって書くのも恥ずかしいほど古くさい人情話。だが、これは祖母の「情操教育」じゃないのか。そしてこれこそが「基盤的コミュニズム」と思う。デビッド・グレーバーは遠くブラックホールに去ったのか、それとも地底深くに潜ったのか。コミュニズムの馬鹿は死んでも治らないのである。

一つじゃなかったです。

明治の婆さんは井戸も掘っている。

孫が三人生まれて洗濯屋が手狭になると一九五五年に祖母は隣町に小さな家を買う。戦後復興景気は都心の小店にも及んだのである。左右一〇軒ばかりのモルタル長屋の一角である。またしても坂だ。真ん中を細い路地が通る。

数年してそこに共同の井戸を掘ったのである。保健所の水質検査を通った地下水を電動ポンプで汲み上げ、電気代を均等割して、使われた水道料は各戸すべて無料である。修理代も全員で賄った。悪場所で鍛えられた女丈夫と伝法な弁舌でこれを推進したのが当時六〇そこその祖母であり、坂の入口で自動車修理工場を営むオヤジである。マルクス初期の入会権問題を引いては大げさだが、中村哲がアフガンで掘った井戸くらいは思い出してもいいかもしれない。

高校生になった孫に「勉強しすぎるとアカになる」と言ったのも祖母。だが、こういう所行が孫の頭蓋を振動させたのは間違いないのである。まったくの無学、やたら涙もろく義理人情だけの明治の婆さんである。国家が崩壊するかという敗戦の爆発的な混沌が、なにか下民の原基みたいなものを噴出させたとしか言いようがない。新左翼の時代を超えて、我が脳髄はこんな記憶に長い間揺さぶられ続けたのである。

坂道を下る外道たち

二丁目裏の坂道に帰ろう。

一九七六年ごろだと思う。ある日、新宿通りから竹田賢一と坂本龍一が連れ立って坂道を下ってきたことがある。打楽器奏者の土取利行と坂本が組んで竹田がプロデュースする作品『ディスアポイントメント・ハテルマ』(コジマ録音)を録音していたころだ。この日も夏の猛暑だったような気がする。南から北へ下る細道だから、低い陽の光は東から西へビルの裏側を素通り。一年中ほとんどは陽が当たらない。一〇階のビルを超えて三メートルのスリットを中天高く太陽が昇る夏至ちかくだけが、異様に暑いのである。

いま思い返せば、この訪問は二人が始めた音楽=活動家集団「学習団」へのオルグである。事態は切迫していた。大学バリケードは音を立てて崩れた。一九七〇年のよど号ハイジャック闘争、七二年の連合赤軍粛清と浅間山荘立てこもり。さらに釜ヶ崎山谷の日雇いたちの暴動。各種組織の爆弾闘争。七四年には連続的な大企業爆破。そして七五年五月一九日に反日武装戦線の主要メンバーは一斉に検挙される。翌七六年には三里塚で初めて空港阻止の鉄塔が建つ。「学習団」とは、竹田と坂本に阿部薫や間章たちが時に加わって、人の全感覚を今までとは違う方向へ再組織するというとてつもない知覚実験の集合体だった。世界への問いは身体の隅々にまで浸透していた。

とはいえ私はただの半端な洗濯屋のせがれだ。高校闘争と大学脱落を経験して深夜の酒場を漂う日々である。それでも一九六〇年代の余熱はいっこうに消えてくれない。仲間たちと小さなジャズのライブハウスを新宿通りの御苑近くで始めた。この時、祖母は脳溢血で寝たきり、母は長い乳がん闘病、父は交通事故の半身不随でリハビリの毎日。これでまたまた政治闘争だの即興演奏だのというのは、もうクレージーというしかない。

私はクレージーだった。

という話は長くなる。また別件としよう。とにかく二人は坂道をやってきたのである。

磯江洋一はそれから三年後、一九七九年六月八日の夜が更けてこの界隈にやってくる。山谷から新宿西口線路わき通称「しょんべん横丁」でしたたか呑んだ果てに、ここにたどり着く。釜ヶ崎や山谷の日雇い運動に突き進んだ活動家である。腕っぷしが強く気が早い。闘争中心部への指名手配、仲間たちの大量逮捕による瓦解に彼は憔悴していた。憔悴とは象形文字を解けば「心臓が燃えるほど苦しいこと」。磯江がこのとき陥った心境を表すにはこの漢語しかない。

人を喰いちぎる遊廓と赤線

この坂道から東の低い界隈は赤線が禁止されて以来、女たちが裸電球の灯る電柱の影に立つ場所になった。私は物心ついてから、物陰から男にかける媚びた声を聞かない夜を知らない。我が家の前の道にはかつて青線バーが連なっていたが、じきに洋風半円窓のまま表向きは写真スタジオ、交渉の次第ではどんなことでもという半合法買春施設になった。青線とたいして変わらない。上の桜田門役人たちからは性欲の調整弁、下の女衒たちからも稼ぎが欲しいという、売春防止法後の当面の妥協点である。

遊廓と岡場所。赤線と青線。この関係がどうもわからない。

そこに踏み込んだ理解を沢山美果子『性からよむ江戸時代』（岩波新書）は教えてくれる。幕府—藩政—村町役人たちは、租税の徴収、つまり百姓町人という血の袋から上納金を絞るためにはどうしても必要な労働力人口を確保しなければならない。そのために家族を維持し性を管理する。各地の町村では「性の教本」が筆写流布されて、人口や出産を記録する「御改帳」が残される。公認の遊廓と隠れた岡場所という二つの場所は、性欲と婚姻、妊娠や流産と堕胎、さらに間引きや捨て子までをコントロールするための連結したシステムなのである。

こんな狂歌が江戸外神田の古本屋の手で記録されている。

ころんでハまたかしこまる砂利のうへ
宵にされ夜中に取られ明方に
ごばんせふとはあまりにどふよく

いやはや江戸っ子の地口と洒落ってのはわかりにくい。

古本屋は「隠シ売女、俗に地獄と称し候」とこの戯れ歌に前置きしている。隠売女と書いてカクシバイジョと読む。ここで「地獄」とは茶屋など町中に隠れた非合法の性労働者のこと。狂歌は彼女たちのすぐ傍で唄われたものに違いない。

――御法度の岡場所で性を売らざるをえない江戸の貧乏借家人の娘たちが「ころぶ」、奉行所に摘発され、お白洲の砂利つまり簡易裁判の席で吟味を受ける。宵の口に客をとらされたと思えば、いきなり夜中にお縄になるのである。夜が明ければもうゴバンに送られてしまう。ゴバンは碁盤。吉原の真ん中を貫く仲之町大通りの左右に碁盤の目のように連なる妓楼遊廓を指す。「どふよく」は胴欲だから強欲のことである。
「隠売女たちは検挙されたあと入札で競り落とされ、新たな遊女として新吉原に迎えられた」と前掲書の著者は言う。入札額はだいたい一五〜二五両。買売春稼業にも階級がある。おおまかに上から遊廓の遊女、茶屋の隠れ売女、宿場の飯盛り女、最底辺に野外の夜鷹がいた。下から上へ、上から下へ売り飛ばして儲けるのは女衒だけではない。捨て子を育てた養父や実の親でさえあった。茶屋づとめでも下女として奉公するより年に数倍の収入があったが、誰もが消耗品であり、性病に罹り歳を重ねた夜鷹の値段は屋台の夜泣き蕎麦一杯分。最期はよくて無縁仏の墓の中。読経もなく腐乱したまま川や海に流される遺骸も少なくなかった。

労働力人口を担保する小家族を必要なだけ確保するために、家内の性と遊所の性は表向き分離され、裏ではつながっている。ご公儀が認める遊廓も街道沿いの半合法岡場所も法外の夜鷹も、そういう回収システムの一環である。明治以降もこの誘導装置は維持されている。戦後一面の焦土でも「占領軍兵士への性の防波堤」などといいながら、赤線青線地帯は労働と性のエネルギーをグルグル回しては使い殺す空間なのである。

磯江洋一がこの辺りを彷徨い歩いたのは、これがやや変質するころである。
街路灯の下に立つ化粧した男が女たちより増えていく。七〇年代終わり、性への介入は女たちの歌舞伎町と男たちの二丁目という分離と誘導に進んでいたと思う。

この時この買春街に迷い込んだことが彼を長く苛む。

まさに心臓が燃えるほど苦しむのである。そして翌朝に山谷に帰り、ドヤ街の中心にある大きな交番を襲撃する。七九年六月九日のことである。包丁で刺されて一人の警官が死んだ。この行為をどう考えるか。無期懲役の旭川刑務所で四三年間、独居房に叩き込まれた磯江はこの二日間の自分について悶え苦しみ続けている。

山谷も二丁目も差別や堕落という言葉だけでは語りようがない。労働と性の力を絞り上げながら循環させて、最後には無表情に棄て去る二つの街には社会の底でつながりがある。刺殺事件を聞いたときに私は小さくうなった。彼を苛んだ前日の出来事を私はまだ知らない。わだかまりをどうしても言葉にできないのである。彼の立つ地面とこの地面。二つの場所を隔てる壁とつなぐ道を感じ取れたならなにができたのか——と、今ますます思う。

世間師と騒動師が交わる辻

さらに一九八四年一一月の寒い日。新宿通りから坂を下ってすぐにある地下酒場の階段を佐藤満夫が降りてくる。その翌年一九八五年の一〇月、秋の終わるころには山岡強一が仲間と二人、洗濯屋の店先に現れた。

佐藤は日雇いたちが群れる寄せ場のドキュメンタリーを撮りはじめ、山岡はそれを『山谷　やられたらやりかえせ』と名づけて撮り切った二人の監督である。二人の義心は褐色の乱闘服を身にまとった極道たちによって断ち切られた。二人の名は山谷泪橋の道筋に刻み込まれているだけではない。少なくとも私にとっては、この坂道にも書き込まれているのである。

彼らの映像とその生涯を、新左翼と寄せ場を語る物語の時間と空間の束縛から解き放ちたいと、私は強く願ってきた。私たちの映画『山谷　やられたらやりかえせ』はこの世とあの世が交わる「辻」に踏み込んだ作品なのである。二つの辻を行きつ戻りつしてきた者には、磯江、佐藤、山岡の三人がこの坂道を歩いたことが偶然とは思えない。

日本の村々をあるいて見ると、意外なほどその若い時代に、奔放な旅をした経験をもった者が多い。村人たちはあれは世間師(せけんし)だといっている。旧藩時代の後期にはもうそういう傾向がつよく出ていたようであるが、明治に入ってはさらにはなはだしくなったのではなかろうか。村里生活者は個性的でなかったと（今の人は＝筆者）いうけれども、今日のように口では論理的に自我を云々しつつ、私生活や私行の上ではむしろ類型的なものがつよく見られるのに比して、行動的にはむしろ強烈なものをもった人が年寄りたちの中に多い。

こう書いているのは、やはり宮本常一である（「世間師」『忘れられた日本人』より）。ここで民俗学者は、祖父市五郎の親戚であり隣人だった人物について、こうした世間師の一人として生きた時間を追っている。周防大島から飛び出した彼らは、大工であり木挽（こびき、鋸で木を切る人）であり、あるときは石工（いしく、砕石職人）、水夫（船の雑役係）、さらに浜子（塩田労働者）だった。そして少なからぬ者たちが百姓兵となって奇兵隊に加わり、本州西部から九州各地を遠征したのである。この系譜は絶えない。一九六〇年代の騒乱時代に野坂昭如はまるで世間師の続編のようにして『騒動師たち』（岩波現代文庫）を書いている。一九八四年に『旅人 国定龍次』（上下、ちくま文庫）を山田風太郎が連載していたころにもまだ余燼は巻き上がっていたと思う。

山岡は北海道、磯江は鳥取、佐藤は新潟からこの界隈に現れている。新宿二丁目の辻を曲がって坂道を下ってきた人たちは、こうした長く続く道程の途上にいるのである。二一世紀に入ってブレイディみかこや酒井隆史、松本哉、栗原康や森元斎たちがこの界隈に姿を見せたときには、もう洗濯屋のビニール看板はなかったが、彼女彼らの動きや風貌からは新しい騒動師の姿が浮かんでくる。

ベトナム人ほど祖先の墓標に関心をもっていなかったビルマ人も、定住地をもたない者に対してはベトナム人に匹敵する恐怖と蔑視を抱いていた。そうした人々は lul el ul win と呼ばれている。文字通りに訳すと「風に吹き飛ばされる人」で、浮浪者、放浪者、浮浪人など、さまざまに描写され、そこには役に立たないという含意があった（ジェームズ・C・スコット『文明とならず者』『ゾミア　脱国家の世界史』佐藤仁監訳・今村真央訳、みすず書房より）。

辻から下ってきた人たちは誰一人として国家の役に立たない。

風に吹き飛ばされる人たちである。

（二〇二二年六月）

10 森崎和江『闘いとエロス』この恋愛小説からなにをつかみ出すか？

塵芥たちの散弾

七月八日、ジョーカーはついに「正しい敵」に到達した。

この事案を避けるわけにはいかないだろう。
とはいえ、今回は前奏だけにとどめたい。

二〇二一年一〇月三一日、秋も終わるころ、京王線内の刀傷沙汰で初めて姿を現した無方向な自裁型事案から八か月あまり。自分自身が腫瘍に喰われるか――という断崖を彷徨うからなのか。ある予感を感じたのはこのときからである。一瞬だけ耳目を惹いても、獄舎の片隅で忘れられるしかない実行者たちが、暗がりの中で列になって現れる。いくつもの事案が噴き出すと、そこに一つの脈絡が立ち上がってくるのである。

七月八日、奈良の大和西大寺北口駅頭で暗殺者yは手製の散弾銃によって元宰相aをしとめた。この精確さには工学系が多い家庭に育った者の技術屋気質が生きている。同時に彼は関西圏を流れ動く非正規労働者である。奈良、呉、大阪、岡山、京都。自衛隊経験に三つの国家資格。体力と勉学の持続力はある。非正規フリーターとしてはまず中層だろう。だがコロナ以降は有資格派遣労働者が溢れる。この三年は明らかに市場価値が落ちていた。

二発の散弾はなにを貫いたのか。
母親の狂信による家族の壊滅だけではないだろう。yの四〇年は非業そのもの。吹き飛ばされる塵芥というしかない。ネトウヨだろうが、その悲嘆を聴き取れなければ左翼ではない。誰が彼を塵にしたのか。弾道が串刺しにしたのはなにか。思わぬ場所から散弾は放たれ、思わぬ場所まで達した。そうだとしても、果たしてａはｙの全人生を棄ててまで殺すに値したのか。

ひとまずこの問いを転がしておこう。

死は人を無機物にする。社会動物からいきなり惑星上のゲノム遺物と化してしまう。そこには別の時間が流れている。殺した者も無機化する。そこから考えたい。だから、まずは思考の昂ぶりを体液に沁みこませよう。灼熱する神経物質を人類史の流水に浸したいのである。しかるべき迂回が必要である。この事案については連載の最終回でじっくり論じたいと思う。

野菜、炭塵、羽根かざり

一九六〇年代前半、北九州から筑豊一円を南北に貫く遠賀川沿いに広がる炭鉱地帯。中間市は三井田川や三菱飯塚の大炭田から直方を経て洞海湾にいたる炭鉱動脈の要所にある。このころまで石炭エネルギーは列島経済にみなぎる血流だった。

森崎和江『闘いとエロス』（原著一九七〇年、月曜社）は、その中間市周辺に点在する中小炭坑の重心である大正炭鉱の労働者たちによる激しい争議と、同時進行するサークル村の文筆、そういってよければ「文闘」とを対位法のように描いた作品である。それがそのまま特異な「恋愛小説」になる。

みだらな野菜をすてて
炭塵をかむった女が降りていった
なぜ男は羽根かざりに似るのか

森崎和江が最初にものした『まっくら』（原著理論社一九六一年、岩波文庫）冒頭に現れる一句である。二〇世紀の初め、明治末から昭和初期まで炭鉱には女性の坑夫がいた。その老女たちからの聞き書き一ページ目にいきなり出現する言葉だ。これが天雷のように轟く。

野菜、炭塵、女に男、そして極彩色の鳥類の羽根。アルチンボルドの精緻な写実画にしてベーコン的叫喚画の極致。これがすでに濃厚な「恋愛小説」のなれそめである。いまなら異性愛崇拝ともいえるが、それにはまた違う角度の照射光が必要である。

どうして野菜が「淫ら」なのか？
これが都会で育った脳髄には歯が立たない。

筑豊の女たちは炭坑深く潜る夫を「もぐら」と呼ぶ。

泥まみれ、炭まみれ、汗まみれだからだ。

その武骨者がなんでまた色鮮やかな「羽根かざり」なのか？

三行すべてが謎の塊。だが紛れもなく色鮮やかなテンペラ画である。この小さな静物画が阿蘇の火口さながらに九州全土を鳴動させる。


野菜は自然ではない。幾重にも人間の手がかけられた工作物である。市場に並ぶその前に念入りな家族労働がある。農家の営みだ。つまりこの列島の家父長的「家」がある。そこで自然種が手籠めにされて造作されるのが菜菜類。化粧された葉ものなのである。「日本伝来の手作り」なんてのは嘘八百。重い梁の下に閉じ込められた者の長時間重労働による産物といえる。

これが淫行なのだ。


それを捨てる。女たちは一人工いくらで買われる炭坑の肉体労働力になる。半裸で炭車を引いて真っ暗闇を這う荒仕事である。男もふんどし一つの入れ墨モグラ。博打も打てば喧嘩も早い。

それを逆手にねじ上げて一人の濃い女になる。

坑底の炭塵をかむる――とはそういうことだ。

その女坑夫たちの眼ざしが男に「羽根かざり」を見る?

これがわからない。

派手な造花やフェイクな羽根を着飾ったゲイなら私は飽きるほど見ている。博多はゲイの一大産地だ。新宿二丁目には「九州男」というバーがある。しかし聞き書きの対象は「明治末から昭和初め」の女たちである。LGBTQなど見えない時代だった。

真っ黒になって坑口から出てきた男たちはモグラだから、目もおぼろで喋らない。納屋、戦前は労働監獄といわれ集住小屋を指したが、一九六〇年代には家族で住む極小住宅がベニヤ板一枚で連なる炭住長屋である。その板の間や荒れ畳に転がるばかり。男たちは「なんがー」とか「なーい」とか呟くだけ。東京語なら「なにか」とか「だよね」に近いニュアンスの九州北部の相づちである。呑み屋だけが彼らを多弁にする。職制へのグチから罵倒へ。そして大酒に煽られて仲間内のケンカが始まるのである。

色街の腹の中で育った餓鬼の私にとって女という生き物は「毒の花」だ。青線バーの女たちに囲まれたカウンターで、その一人に抱かれる四歳の自分——そういう写真が残っている。もはや二〇世紀赤線文化遺産の一枚である。

昼間の女たちは開けっぴろげで明るい花だ。夜ともなれば花芯に毒が仕込まれる。裸電球の下で肌の色が妖しく熟す。毒を帯びなければ生きられないからだ。じきに目も鼻も耳も蜜の滴りを感じ取れる少年になった。毒と薬は紙一重。毒に酔えるようになるのもすぐだった。だから虫を吸い寄せる花びらの色や匂いを身にまとうのは女たちのはずなのに。地下二〇〇メートルを這う土中生物になった女の眼球には、隣のモグラ男が「羽根かざり」に見えるって?

遠賀川　老婆の眼

おそらくこの反転した、もっと言えば地の底でバク転するような感覚が森崎和江のエネルギーの源にある。これは前衛短歌の瞬間芸的な技巧ではない。生涯をかけたバク転なのである。森崎自身が言う。自分の方法は「腰から下は鱗が生え、首だけねじまげて松の葉へ語りかけるような筋肉の螺旋」だというのである(『非所有の所有　性と階級覚え書』、原著一九六三年、月曜社)。半魚人は体をねじ切らんばかりにして水辺に生える針葉樹の鋭い葉脈に声をかける。たしかに玄界灘を西に下った唐津海岸には松林が続いている。かつて秀吉の大軍船団が半島に出陣した岸辺である。螺旋とは雨滴が落ちながら交差する偶然性に賭けられた唯物論の隠喩である。ルクレティウスからスピノザやマルクス、ドゥルーズ、そして二重螺旋の遺伝子理論。その歴史的重力に逆らって水中からなにを語るのか。

谷川雁の詩語は鉱物である。森崎和江のそれは土中や水生の生物種か。そういう対称性のフレームにはめ込むことがそもそも異性愛主義だろう。

では森崎和江とは半島からやってきた両生類なのか。

男が羽根かざりのように見える。

思いきりねじられた言葉が弾けて、その瞬間になにかとんでもない次元に跳躍する。

『闘いとエロス』でもそれが貫かれる。

サークル村の女たちが悶えながら夜どおし喋る納屋の寝床と、大正行動隊の男たちが職制や警察とぶつかる坑口前の広場。女たちの『無名通信』と檄したビラの文体。とりもなおさず森崎和江と谷川雁。それぞれの思想詩魂の雄と雌。またしても対称。とはいえ二分法こそがこの時代の思考を激しく檄した熱源である。

この同時進行するカップルの抗争がこの本を「恐るべき恋愛小説」にする。長かろうと短かろうと、時空を共にする愛は和解であり溶け合うこと。とすれば、恋とは危険な爆発物である。対位法の二つの動線は接しては離れ、よじれてはまたむつみ合う導火線になる。

詩語と労働の蜂起を賭けた一か八かの大勝負。筑豊全域に張りめぐらされたすべての坑道、ひいては列島プロレタリア世界に投げられた乾坤一擲なのである。大正行動隊もサークル村もそういう引火性の危険物を孕んでいた。たんに埋め込まれた革命遺産を検証かつ顕彰したいわけではない。『闘いとエロス』には未使用の引火物が詰まっている。
この導火線を二〇二二年にどう引くのか。

遠賀川は老婆の眼である。けさもどろりと灰白色に曇って、変化する朝空を鈍重にうつしていた。が、あいつはそんな底の知れたものではないのである。一見鈍感なばばあ、その濁った化粧のいろ。

（十章「地の渦」、二二五頁）

流れの両岸で起きるなにもかもを見ているのは遠賀川の眼だと森崎は言う。それを「老婆の眼」というのである。ボタ山から流れでる炭塵にまみれた川面が長く大きな眼孔のように映る。遠賀川は福岡県最南部の馬見山嘉麻峠を水源とする。筑前と豊後をたゆたいながら北進して、半島に面する響灘に注いでいく。その流れは産業資本主義が起ち上がる道筋であり、筑豊の石炭は八幡の鉄と化合して半島へ突き進む長い銃剣になった。薄暗く濁った遠賀川が婆さんとするなら、その照り返しは地に埋もれた女坑夫たちが見つめる眼ざしなのか。森崎が「岩」と称する半島の年寄りたちの眼光がそこにかぶさる。
なんでそんなことがいえるのか。

私にも遊廓に生きた明治の婆さんの眼が取り憑いているからだ。夢野久作が描く強力な婆さんたちほどではないけれどね（「白髪小僧」『夢野久作全集　一』ちくま文庫）。

私怨の丘

今世紀への導火線を一本引こう。

暗殺者yを殺害行為に駆動した動機は「私怨」といわれる。全資産を奪い家族を破壊した政治教団に対する憎悪である。さて『闘いとエロス』にはこういう下りがある。

> 大正炭坑の組合員三千五百のなかの十四、五名の行動隊員たちは、あらゆる面で他の組合員に率先することを標章とした。その行動は常に生活内的な発想をとっていて、イデオロギーをふりかざすことをしなかった。あたかも私怨をはらすかのごとき言動は画一的運動にみきりをつけていた労働者の共感を得て、多くの信奉者を得た。気持はおれも行動隊、という者が多く生まれた。行動隊はそれらをも行動隊員と呼んだ。
>
> （六章「大正行動隊　I」、一三五頁）

大正行動隊は私怨を群れにしたのである。

私怨のどこが悪いというのか。

法が支える社会の地平への信頼が揺らぐとき、一人ひとりの怨みが迫り上がる。


怒りを正義や公憤へ吸収する回路が確かにある。

非道への怒りはまず「私怨」として現れる。いきなり理不尽な一撃が来る。真っ先に反射神経が呼応する。思考とは違う回路だ。なんでオレが？　刹那の逡巡と躊躇。治まらない腹の虫。その虫が這い上がって胃がムカムカする。さらに頭骨に達して顔がゆがむ。その間は一瞬。場合によってはただちに手足が動く。

脳内をめぐるのはその後だ。眼前の悪。見た目や匂いから脳髄の思考系が働いて「敵対線」を同定する。カテゴリー判断が作動する。ここで特定の集団階層階級に対する何かしらの「正義」が起ちあがる。自分を超えた状況把握は一歩引いたところに生まれるのである。この段階で怒りは声を持つ。

だが敵の対抗力が必ず来る。足が踏みとどまる。強制力にぶつかると脳が冷却を命じる。社会規範や法制度の知見が呼び出されて「公憤」として整理され、日常社会に戻されるのである。やがて声は文字になる。理性的な判断として怒りは表明され、審判に委ねられてパブリックな昇華に向かう。否定されるにせよ、肯定されるにせよ。

公民の権利、法の支配、市民社会、国際社会とはそういうものだ——と多くの人は言う。

だがそうなのか。

私怨は荒々しい潜勢力に満ちている。

出来あいの「正義」ではない。「義」の本能を地中から養う種子が胚胎されているのである。ところが公の舞台に上げられれば、もう訴状の前言に動機として記載され、あるいは法学論文の長い註記になるだけ。私怨は時に方向を失う。銃口がおのれの額に向けられることもある。無方向に炸裂する。だから歴史文書に記されることは稀だ。大量の種子は土に埋められたまま腐り果てるのである。

それでいいのか。

私にはかつて炭坑があった一帯が、そういう種子が埋まる丘に見えてしかたがないのである。旧赤線街を通り抜けると私怨の匂いがするように。そこはまた別の沼である。

猿の喜劇をめぐる寝物語

大正行動隊は崖っぷちにいた。

次々と打たれるストライキ。坑口での衝突。さらに坑底に籠城する。採炭車を引き上げる坑口前広場の施設を占拠する。にもかかわらず会社を操る福岡銀行は給料を下げ続け、退職金もろくに支払わない。そのさなかに、ある行動隊員の妹でありサークル村の仲間だった女性が、別のメンバーに強姦され殺されたのである。その容疑者も自殺する。

さらに行動隊を後見する理論家であり、サークル村を引っぱる人間が襲撃された。道端でもみ合ったあげく、一寸五分角のこん棒で強打され左ひじの骨折。襲われた人物は室井腎と記されるが、この本では実在の谷川本人とない混ぜられて虚実の綾が読み取れない。もう面倒だからここは谷川雁としておこう。

やったのは身も言葉も軽い男である。一度は行動隊の一人として動き、機を見て会社の傀儡組織に与した。フラフラと京都に飛んでバーテン稼業から組合つぶし専門のコンサル稼業。そこにつながる極道と石炭資本。炭鉱地帯にうろつく第二組合の影が見える。内輪もめの騒ぎに見せて一挙に行動隊の核を網にかけようとしたのか。

谷川雁はこれを安保闘争で殺された「樺美智子の一周年に向けたテロ」と読んで、一気呵成に全国的な政治テーマ化しようとした。

そこに森崎和江はこう口説くのである。

「あたし、二通りの見方をしたほうがいいと思うわ」（中略）

「あのねえ一つはあなたのおっしゃるようなこと。チンピラを使ってでも行動隊をぶっつぶそうとしているということ。もう一つは、チンピラと行動隊員の意識の基調は一脈通うものがあるのだから、つまりね、一家を持ちたいという、だからね、あなたにしかかったということはもちろん大きなことだけど、私怨をはらすという暴力行為で彼らは思想を語ろうとするのだから、その私怨の内容を考える必要があるんじゃないかしらっていうこと」（中略）

「どういう私怨なのか、そこんとこを一皮めくってみないと、そうでないと、その質は行動隊の連中にも通じているのかもしれないし。」

（前掲、八章「葦生える土地」、一九〇～一九一頁）

森崎和江は「私怨」として葬られる力の泥沼に向かおうとするのである。

それに対して谷川雁らしき人物は驚くような答え方をする。

「……猿まわしもくたびれるよ。労働者はしょせん猿だからな」

そしてそのあとはこう続けられるのである。

その夜わたしは彼の片手に抱かれて、その胸へわたしの詫びに似たことばを吐く。

「ね、人は、くずのような死に方をするものなのよ、ねえ」

室井はいつもの声でいう。

「あたりまえじゃないか。いっさいは喜劇なんだぜ」

馬にまたがってマフノ運動に加わる人たちをレーニンが「暴れる猿」と呼んだのは栗原康がいう通りだ。私もほとんど類人猿に近い。しかしそう言えるのはボルシェビキの歴史がひとまず幕を下ろした後だからだ。一九六〇年代に炭坑労働運動の思想家が仲間たちを「猿」と呼ぶ。そして自分も「人間喜劇」の登場人物とするのである。詩人の逆説を理解しない人たちは激怒したろう。谷川雁は四〇代、森崎和江もまだ三〇代である。まだ生々しく生きている二人のこんなやり取りを森崎は危険を承知で書き込む。

森崎和江は、人生はすべて喜劇と言い放つ谷川雁という男に「羽根かざり」が見えたのである。

これが地の底のバク転だったと思う。

猿の私怨とはなにか？

猿に義はないのか。

猿の基盤的コミュニズムとはなんだろうか。

この寝物語は現在へと伸びる長い導火線なのである。


（二〇二二年七月）

11 両手になにを握るのか

ミアとウィル、文子とテンペスト

ケイ・テンペスト。
詩人でラッパーの名前だ。

テンペストつまり嵐だ。まるで人を荒海に吹き飛ばすように響く。

この名がブレイディみかこの小説『両手にトカレフ』（ポプラ社）の大切な部分に出てくる。


「ケイト・テンペストって知ってる？」

「……」

「って言うか、いまはノンバイナリーをカムアウトして、ケイ・テンペストって改名しているんだけど、戯曲や詩も書いている有名な人。その人のラップのリリックをプリントアウトしてきたんだ。YouTubeで彼女の曲、たくさん聴けるよ。すごく、とにかくいいんだ。リンクをメールするよ」


（一一七頁）


スラム化した公営団地に住む一四歳のミアに同級生の男子ウィルがアプローチする場面である。ジャズやロックの世代にとってデートの小道具はちょっと難しい本。輸入LPやコンサートのチケット。それがCDやライヴハウスの誘いになる。四〇代以上なら、誰でもそんな甘くてちょっと恥ずかしい心の擦り傷くらいあるだろう。

二〇世紀は遠くなりにけり。

今はSpotifyやYouTube。ところが貧しいミアはスマホもPCも持っていない。優しいナイスボーイのウィルはそれを知らないのである。ミアは制服も買えない。チャリティでもらったスカートがどんどんミニになる。ウィルは家に楽器を持っている。それを弾く部屋もあるのだ。

祖母と母二世代続くアル中でセックス依存のシングルマザー家庭と、自由で温かな親たちとセンスのいい小ぎれいな家で育った好青年。韓国系やインド系の友だちとラップクルーを始めた彼にすればミアのリリックはリアル（本物）、しょせんオレたちはまがい物のワルにすぎない。デートだけじゃない。彼女の詩でグルーヴしたくてたまらないのである。

これだけなら現代のヒップホップ・シンデレラ物語だ。スラムのヤク中少年とロースクールを目指すリベラルな女の子とか。似た趣向でNetflixやディズニーの映画だってけっこう手の込んだ作品を作っている。

だけどrealってなんだ？

列島民にとってブリテンの貧民街はアンタッチャブルな世界だ。でなきゃ絵に描いたような売人がうごめく犯罪映画の景色にすぎない。ほどよく枯れて釉薬が流れる古陶磁を見た好事家が「いい景色ですねー」という言い方がある。寂れた公営団地はほどよく野趣を散りばめた景色ということだ。

そこで大逆の女が一気に時空を飛び超える。
「大正」期のアナキスト金子文子がミアと背中合わせになったのである。文子は幼いころから極貧の家で育ち、父母に捨てられて「無籍」つまり社会に存在しない者として生きる。流れる果てに半島に渡って三・一独立運動を目の当たりにした。

この蜂起が彼女を揺さぶる。立ち上がり殺される半島の人びとを自分自身と感じたのである。文子は東京に出て、下積みで働きながら黒や赤の主義者たちと付き合うようになる。そして関東大震災の渦中で朝鮮人アナキスト朴烈（パクヨル）とともに天皇爆殺の冤罪を仕掛けられて獄死した女性である。金子文子の伝記が英語で出版されていたなんて、私はこの本で初めて知った（Fumiko Kaneko, Translated by Jean Inglis, The Prison Memoirs of a Japanese Woman. 1991:Routledge)。

図書館のカフェでホームレスっぽいおじさんがテーブルの上に忘れていったのが、この本だ。それを手にして読みはじめたミアは思う。

——一世紀も前の遠い国に生きていた少女がミアに話しかけている。あたかもそれは、本という橋を渡って、別世界の少女がこちら側に歩いてきたようだった。彼女はミアの隣に座り、自分の話を聞かせてくれている。

（二二二頁）

ミアと文子。二人の物語が背中合わせに廻る回転舞台になって演じられるのが『両手にトカレフ』である。列島に閉じ込められた小説家の誰も考えつかない舞台装置だ。くるりと回ればミアはフミコ。フミコはミア。極西と極東二つの老帝国を下から見るブレイディだからこそ浮かぶ、いわば女たちの日英空想貧民同盟。高円寺の素人の乱が飽きずに続ける東アジア貧乏人宴会シリーズもありますが。

実際に朴と文子の二人がやったことは、未遂でさえない暗殺の「ほのめかし」にすぎない。だが、あえて大逆罪を引き受ける。そして天皇恩赦により無期に減刑された。これがドストエフスキーの教えだ。ところが文子だけ獄中で自殺したとされる。当時の調査は妨害された。一〇〇年後も謎のままだ。おそらく仁政を拒んだ見せしめとして殺されている。峻烈な生涯である。

ミアも文子もシンデレラではない。

そこまで書かれてはいないが、小説の先にはそういう大文字のREALが待っている。パステルなコバルトブルーで彩られた表紙に当世風の極西&極東ガールズ。軽快な装幀にこのREALだから、読み終えてかえってゾクッとするのである。

とはいえ、いま進行する小文字のrealはどうなのか？

ここにクロスするのが「ケイ・テンペスト」である。

これはただの小道具じゃない――。

ピンときた。

というわけで、この詩人かつラッパーの動画を初めて観る。

静かなる嵐

いきなり大脳を冷凍庫にぶち込まれた。

真っ黒な画面。少年なのか少女なのか。マイクを前に一人立つケイの映像から始まる。ロンドンの街を被うぶ厚い古毛布のような空。その鈍色を煮詰めた暗がりに単語を一つひとつ置いていく。ショートカットの髪。シンプルな枯葉色のシャツ。抑えた声。低く撃たれるビート。森と宇宙と金属のヴィジュアル。すべてゆっくりと高揚していく。

テンペストと聞けば、誰もがシェイクスピアを思う。

質朴で穏やかに見える表情にあの「嵐」の物語?――という違和感が最初の揺らめき。嵐の印象は間違っていない。三六歳の少年にして少女でもなくノンバイナリー。名づけられない性は妖精エアリアルか。その魔法の声はrapでありspoken words. 語られた言葉の業（わざ）である。その一曲がMore Pressureだ。

More Pressure More Release More Relief More Belief More Distance More Reach
もっと圧を　もっと解放を　もっと安らぎを　もっと信を　もっと隔たりを　もっと広い場所を
The truth is I don't know it's so deep
真実を私は知らない　それはとても深いから
Rock-solid ground beneath me now tells me there's no ground at all
私を支える堅い岩は私に告げる　確かな地面なんてもうどこにもないと

More desire Less deceit
もっと欲望を　欺くこと少なく

詩は多義性を養分に育つ。画面の闇に湧き出す銀の泡。路地に生い茂る草むらでパートカラーの精霊がダンスする。地面に捨てられた白い顔は仏像か仮面か。その瞳から溢れる緋色の涙。眼は森の中へ。すると噴き上がる焔。草が鬱蒼と群れる。内臓が裸出したロボット人形たちが荒野を進む。三人から群れへ。スクリーンを這う微生物と燃える心臓。沼を歩み荒れ地に出て、空を闊歩しながら密林の底に舞い降りる。銀粉ヌードのダンサーのように。南アジアかアフリカ中央部のどこかの密林。世界が終わるのか、それとも曙なのか。

そして岩が告げる。もう地面なんてどこにもないと——。

ロンドンの南西部。すぐ隣に西インド諸島から来た移民たちが住む街ブロックリーで育ったケイ・テンペストは、ティーンのころからウィリアム・ブレイクの詩やジェイムズ・ジョイスの小説に読みふけったという。

——子供の時分、友達とよく近所の家の庭で遊んでいたんですが、そこで嗅いだ料理の香りを鮮明に覚えています。6歳だか7歳のとき、初めてそのおうちにお呼ばれして、ご飯を食べさせてもらいました。庭には木が一本あって、その向こうから家の裏まで細い路地がありました。路地は、裏手の公園まで続いていたと思います。そこを通ると、両脇に立つ木が濃い夏の香りを放っていて、暑くて、すべてが緑で——。その光景を思い出すと、新しくなにかが始まるようなワクワクした気持ちに心躍ります。

(「ケイト・テンペストの進化」、サラ・カーンによるインタビューより。カルチュアサイトi-DのThe Fifth Sense, 二〇一六年)

映像はこの小路の記憶から育ったものだろう。草むらの光や匂いは転写され濃縮されて、天空を銀色ロボットがステップするのである。

私は、ラップ詩の濃い意味をただちに理解する英語脳など持ち合わせていない。

それでも伝わる。跳ねない声。決然たる語彙。それをそっと鼓舞するリズム。なだらかに起伏するドラマツルギー。サウンド全体は厚く靭い。そういうエレメントが重なり合って愚者たちの骨髄を揺るがすのである。これは嵐だ。シェイクスピアの舞台はカリブ海から南西ロンドンの空の下にやってきた。ミランダもエアリアルも、プロスペローもキャリバンもこの路地にいる。

More Pressure は大都会の静かなるテンペストである。

怪物が棲む世界

この人は一〇代のころからジョイスなんて読んでたのか。

フームと思って、埃を被った文庫本を久しぶりに手に取る。

すると変なところばかりが点滅するのである。まるで切れかけた蛍光灯だ。もちろん明滅する前世紀の光源は私自身です。

スティーヴン・ディーダラスの青春遍歴譚『若い藝術家の肖像』(丸谷才一訳、新潮文庫)はジョイスによるほぼ自伝。濃密な言葉のアサンブラージュである。まあ現代でいえば大竹伸朗的な小説ジャンクアートだろう。これを広大深遠な西欧文化の時空に泳がせて、よりダイナミックにした高級文学版といおうか。その終わり近くに奇妙な一節がある。アイルランド西部から帰ったジャーナリストは山小屋で不思議な年寄りに会ったという。赤い眼をしたその老人のモノローグである。腰かけた男はパイプをくわえてアイルランド語とイングランド語の両方で話した。

——世界の果てにはひどく変な生き物がいるに違いない。その男が怖い。ふちの赤い角のような目が怖い。ぼくが今夜中、夜が明けるまで格闘しなくちゃならぬのは彼だ。彼か、それともぼくが死ぬまで。そいつの逞しい首をつかまえて……結論はどうなるか? そいつが屈服するまで? いや、やっつける気なんかない。

(『若い藝術家の肖像』、三九四頁)

いきなり現れる日記体。四月一四日の日付がある。前後に続く日録になんの脈絡もない。これはディーダラスがダブリンのカフェで拾った新聞のコラムだろうか。それをハサミで切り抜いて乱暴に小説に貼りつける。赤い縁に隈どられた角の眼。そんな生き物がいるのか? 部屋の鏡に映った老人自身である。その自分を怖れる。自分の影と朝まで格闘するという。言葉のアサンブラージュはつまり立体コラージュである。赤眼で突き刺す獣人が生きたまま紙面にピンナップされ暴れている。全編に滴るような神学的美学的エロティシズムの中に怪獣をつかんで投げ込む早業である。

そういう衝撃力がある。ジョイスを博覧強記の高級教養小説に押し込めちゃいけない。このずっと前にはこんなやり取りもある。

——スティーヴンは相手のほうに向きなおって、しばらく、彼の眼をまじまじと見すえた。リンチ（シニカルに芸術を語る学友＝筆者）はようやく笑い終えて、卑屈な眼で彼の眼を見かえした。長くてとがった帽子の下の長い平ぺったい頭蓋骨が、頭巾のような頭をした爬虫類の姿をスティーヴンに思い浮かべさせた。眼も、ぎらりと光り、じっと見つめるところなど爬虫類とそっくりだ。だがその瞬間、その視線が卑屈で、警戒するような色を帯びていたのが、一つの人間らしい光がともされた。痛烈だが、自虐的な、しおれた魂の窓である。

——そのことならね、とスティーヴンは愛想よく、括弧の中で説明するようにして言った。ぼくたちはみんな動物だよ。ぼくも動物なのさ。

（前掲、三一六〜三一七頁）

怪物とともに生きる世界。

山小屋の老人も赤眼の獣も、爬虫類に似た偏屈な友人も、ジョイスが幼いころ咬まれた犬の化身に見える。犬嫌いの作家は呑んだくれた日々の中で「怪物たち」を飼い育てたのである。エドワード・サイードがディーダラスの物語に執心した理由が今ごろになってよくわかる（『知識人とは何か』大橋洋一訳、平凡社ライブラリー）。ウクライナ人と違ってパレスチナ人は今でも西欧世界の外に追いやられた「怪物」なのである。

ケイ・テンペストのMore Pressureにもmonsterがいる。

黒い羊と黒いサクランボ

それならpressureのpressってなんだ?

ラテン語のpremo（押す）からpremere（圧する）へ。さらにpressareが派生する。presserという古フランス語もある。どうやらこのあたりが語源のようだ。この語根から外へ向かうとexpress(表現する)。内へはimpress（印象を与える）。下がればdepress（憂鬱になる）。いずれにせよpressという語幹をめぐって、押す、絞る、圧する、群がる、ひしめく、切迫する、押し分けるといった語彙が群がって取り憑いている。

要するに外部からこちらに向かって押し寄せる。そういうなにか自分とは異なる力や存在がこの言葉の底には棲み込んでいるのである。実際いるだろう。すぐそこの道にいる。マンションの隣にいる。道を歩いてやってくる。

monster, beast, creature, freak――つまりは怪物。例えば移民、亡命者、外国人。今では非正規、ギグワーカー、体を使う労働者たちがもうすでにモンスターなのである。ってことは、それってオレか。なんだオレたちの詩（うた）なのか。More Pressureは。

それならMore Pressureは「怪物、上等」とでも訳したほうがいい。そして、ケイ・テンペストの名は『両手にトカレフ』の中盤でじつに七回も連呼されるのである。その理由は充分にある。

ブレイディみかこの『両手にトカレフ』にはこの種の怪物たちが棲んでいる。ミアの母親は育児を放棄している。薬物とアルコールと男は捨てられないが、ミアと弟は「家」というゴミ捨て場に棄てられるのである。その母もさらに母親から「そこにいないもの」とされてきた。「子どもであるという牢獄」。ミアは弟を守ることに必死である。

――英語では家族やコミュニティーの厄介者のことをブラック・シープというが、私たちは、そこにいるのにいない者のように扱われてきたブラック・チェリー。木から地面に落ちて潰れて血を流していても誰も気に留めないチェリー。だからフミコの言葉にミアの感情が共振する。共振してフミコの感情がミアの言葉に変換される。

（『両手にトカレフ』、一七八頁）

公営団地は貧乏人の処分場であり道で薬をさばく売人の巣窟だ。郊外の門庭とガレージの付いた一戸建ては夫婦とも大学卒ミドルクラスの館である。

こんな構図の映画や小説はいくらでもあるって？

そうなのか。

五年前の二〇一七年に起きた推定死者一二〇人を超える（ガーディアン紙）二四階建てのグレンフェル・タワー火災は、この小説の舞台から遠くないところで起きたらしい。高さ六七メートルのビルはロンドン中心部の西寄り、ケンジントン&チェルシー区にある。正式には王室特別区である。富裕層が多く住むが貧しい地区も散らばる。グレンフェルが立つのはその一つのノース・ケンジントンである。この辺りはイングランドの最貧地区上位一〇%内に入るという。

豪奢と貧寒はすぐ隣、まだらなのだ。これは東京も似ている。

二四階のうち一〜四階はオフィスや保育所。五〜二四階が低所得者用の居住フロアである。火災時に築四七年のタワーには、一二七戸に六〇〇人以上といわれるモロッコ系をはじめとしたムスリマやムスリムたちにカリビーンやアジア系など、およそ多国籍の人たちが住んでいた。法外の移民たちも少なくない。これも東京の明日である。

二〇二二年時点で身元が判明した死者は七二名にすぎず（web版BBC news Japan, 二〇二二年六月十五日）、他の遺体は世界各地からDNA情報か歯の診療記録でも取り寄せなければ識別不可能。同居の子どもや又借り人はカウントされないから現在でも死者の実数は確定できていない。くわえて明らかな違法建築にもかかわらず、五年後の今も建設管理者や施行者の誰一人罰せられていないのである。

グレンフェル・タワーに暮らしていたのが、まさに「そこにいるのにいないことにされている」黒い羊や黒いサクランボたちだからだ。

両手になにを？

そういうブラック・チェリーの一人、ミアの書いたリリックはこうだ。

黒いトカレフ　いままで隠してた
引き金に指　いつでも引ける
傷ついたなんて　言っても意味ない
なぜか生まれた　それがすでにサヴァイヴァル
チェリーのマミイは人間やめてて　とうに死んでる
血だらけ赤いタオルの風呂場　黙って立ってる
もうちょっと　泣くとか怒るとかあるだろ
両手に銃をかまえて立てよ
自分の銃をかまえて立てよ

（前掲、一七八〜一七九頁）

これは金子文子の感情がミアの言葉に変換された言葉だという。

歌いたくなる。こんな衝動をミアはこれまで感じたことがなかった。これは獰猛な欲望だった。どんどん喉の奥から言葉が出てきた。

トカレフとは、旧ソ連造兵廠の銃器設計者フョードル・ヴァシリエヴィッチ・トカレフが考案した銃のこと。主には一九三三年に労農赤軍が採用した正式軍用拳銃「TT－33」を指す。極寒苛烈な戦場が想定されて徹底して単純で機能的、質素にして堅牢に作られた。初速がきわめて速く貫通力も強力である。スターリングラード攻防戦では、損傷の激しいルガーやワルサーを凌いで赤軍の凄惨な勝利に貢献した。第三帝国の銃は精巧すぎたのである。ソ連崩壊後は各地に流出複製されて、長らく世界中の裏社会の方々に愛用されている。


「川底から私の中の竜が呼んでいる」と砂利を袂に入れ、お腹に重い石を巻いてフミコは川に身を投げようとする。朝鮮に住む母方の祖母からも追われて、死の天使だけが微笑んでくれた。

一方のミアは弟の手を引いて、ばらばらに施設に入れようとする警察や福祉ワーカーの手を払うように電車に乗った。一晩中ロンドンの電車を乗り継いで逃げ回ったのである。

一〇〇年の時間を飛び越えて、死の刹那に二人はとどまる。

跳ぶ寸前、眼下に見えた深い山々。その美しさにフミコは衝かれる。「世界は広い」。夏を生き延びた蟬の声が渓谷に響いた。

ミアと弟はクリスマスイヴが明けて、陽が昇るコーヒーショップの木陰で眠りこけた姿を見つけられる。そばには青い表紙の金子文子の自伝が落ちていたという。前の晩、姉と弟が電車のトイレに閉じこもっていたころ、母親は団地のベランダから飛び降りている。

ブレイディはミアとフミコの物語をこう締め括っている。

――フミコが見た青い空のことをミアは思った。ここと違う世界はここから始まり、広がっているのだとフミコに教えた青い空。自分と同じように苦しんでいる人たちに、そのことを伝えたいとフミコに思わせた力強く澄んだ空。

きっとフミコは私にも、それを伝えにきたのかもしれない。

ミアは再びスマホに目を落とし、思い切ってメッセージを送った。

「来年はステージでラップしたい。私は、私の世界を変えられるかな」

すぐにスマホが着信音を発し、返信が届いた。

それはこのあいだウィルが送ってきたメッセージとは違って短い簡潔な答えだったが、いかにもウィルらしい言葉だったので笑った。

「すべてにYES」

じきにミアは笑うのをやめ、吸い込まれるようにその返事を見つめていた。

それは驚くべきことだった。そこにあるのはNOではなくYESだったからだ。

（二六四〜二六五頁）

ここだけが世界とは限らない――というブレイディから読者への伝言である。

「それにしても」と私は本の扉を閉じて思う。

ミアはなぜトカレフを謳い、どうしてブレイディはライトノベルと見まごう初めての小説に、あの武骨な鉄器の名を掲げたのか？　トカレフには安全装置が付いていない。

『両手にトカレフ』が出版されたのは二〇二二年六月六日。

奈良の近鉄線大和西大寺駅前に楽器の黒いバッグのようなものを抱えた男が現れたのは、ほぼ一か月後の七月八日である。

おそらく彼はこの本を知らない。

（二〇二二年八月）

12 紙と錘

ジョーカーたちの年

ちょうど一年前の二〇二一年一〇月。

「ジョーカーたちはいつも行き先を間違える」と題したのは連載の第二回目だった。

そして私はこう続けた。

――二〇二一年一〇月三一日、衆議院選挙の投票が進む最中に映画『ジョーカー』を模倣した凶行が起きた。まだ覚えているだろうか、京王線車内での刺傷放火事件のことである。

それから一年が過ぎる。

惑星を覆う気候動乱やコロナ禍の疫学的行方、そしてウクライナ戦乱についても、私には語るに値する格別な知識がない。感知できるのは小さな虫が這いずり回る蠢き。暗い裏通りで立ち話する者たちのくぐもった声。来る日も来る日も無言、仮面、機械になって日銭を稼ぐ人間たちの彎曲した首筋や背骨だけだ。

だから再び強調しておきたい。

ジョーカーはついに「正しい敵」に到達した。

大和西大寺の変

Ballot or Bullet.

そんな言葉が脳裏に点灯していた。

投票か弾丸か——。

七月八日に私は朝から在宅ワークで家にいる。

終日、Akalaアカラという中国系ジャマイカン-イギリス人が書いたNatives：Race & Class in the Ruins of Empireという本の翻訳を校正していた。いやじつに読みごたえがある。人種・民族・階級がもつれ合ったブリテン島で生きるラッパーにして街の歴史家かつ物書き。アカラの自己史、帝国移民史、黒いアトランティック史に引き込まれる。Nativesは複数形である。校正屋は文字のクズ拾いです。それでもこれほど読んで楽しめる仕事はなかったな。

そんな昼めし前の一二時三六分。

奈良の近鉄線、大和西大寺駅北口前でなにかが起きたらしい。その第一報が入る。スマホだったか。すぐさまＴＶをつける。実際の銃撃は一一時三一分六〜八秒に二発である。

首筋に散弾と聞いて「暗殺」と直覚した。この一時間。官邸は報道操作の方向に困惑したのだろう。しばし記憶に浮かんだのは三十数年前のある事案。「赤報隊」を名乗る分子による朝日新聞阪神支局襲撃である。こちらも殺傷力のある散弾銃。だが穿ちすぎかもしれない。画面に映る被疑者の表情には左右の活動家が見せる気負いがなく、細い眼差しにもギラつきがない。無抵抗に路面に引き倒される姿には安堵が見えるのである。虚空を凝視する眼。静止画像に音のない暗黒舞踏の一瞬を感じた。

さらに午後、ガムテープで巻いた手製銃器や標的、さらに統一教会を示唆する続報を受けて、陰謀臭は薄らいでいく。この時点で頭にはジェイムズ・エルロイの小説『アメリカン・タブロイド』（田村義進訳、文春文庫）が思い浮かんでいた。これはＵＳＡの隠された歴史を「白い狂犬」と呼ばれる作家が妄執によって抉った作品だ。ケネディ兄弟暗殺をＦＢＩ、ＣＩＡ、亡命キューバ人たちがマイアミの裏世界で殴り合いながらドラッグと女色で仕掛けた策謀として描く。私はむやみやたらとリベラルだがリベラル派ではない。かつてレアな思想のステーキに噛りついた後に、エルロイ作品を苦くて甘いデザートとして愉しんだものだ。

事実、この狙撃をアメリカ情報組織による「犬のふりをした米中両属派ａ」の排除とする元通信社ジャーナリストの意見もすぐさま現れる。混み入った話だが、そこには説得力のあるエヴィデンスが提示されていなかった。

そうする間にも、ずるずると銃撃者ｙと屍体ａのねじれた関係が漏れてくる。統一教会という異教集団と政権党が隠してきたことの片鱗が見えてきたのである。疑り深い私が、どう考えてもこれは固茹でタマゴのノアール小説じゃない。そう確信したのは夕刻近くである。

ここでは暗殺者をｙ、元宰相をａとしたい。奈良の事案を代入可能な一連の多元方程式として解いてみたいのである（この間の言説と現実の抗争については巻末の別稿に記した）。

選挙と銃撃

冒頭に戻ろう。

この日は第二六回参議院選挙投票日の二日前である。

選挙のクライマックスで起きた要人暗殺。しかし国政選挙を標的としたものとは思えない。プロパガンダではなく、精確な一撃の機会を求めた者による周到な選択であり、たまさかの一致にすぎないだろう。

それでも「投票か弾丸か」ballot or bulletというマルコムXの声が終日、私の頭蓋骨に響きわたる。ここにラッパーにして歴史家アカラの語りが残響していたのは確かだ。彼は著作でマルコムXを畏敬を込めて何度も引いているのである。

ballot or bulletは一九六四年四月三日にエリー湖の南岸、オハイオ州クリーブランドのコリー・メソジスト教会でマルコムXが放った言葉だ。現場の音声だけが「20世紀American Rhetoric

「Top100 Speeches」というアーカイブにアップされている。ballot or bulletはたんに演説の名文句というだけではない。ラップ音楽にいまも大きな影響を与え続けるパンチライン（キメ台詞）なのである。邦訳三三ページのテクストにこの言葉が一五回も出てくる（『アメリカの黒人演説集』荒このみ編訳、岩波文庫より）。

これはもう連射である。

ballot or bulletは語頭にbを重ねる。強くて速い濁音が重いビートを打つ。このマルコム独自の成句は、黒人思想研究者である荒このみが訳したように「投票権か弾丸か」のほうが文脈上は正確である。ここはオーラルな喚起力を尊重して「投票か弾丸か」としたい。

ballot or bulletと、スピーチの区切りに歯切れのよい低音で連投されると、語り全体がリズムに乗ってうねるのである。まるでブーツィ・コリンズのチョッパーベースだ。チョッパーとは打楽器として弦を叩くこと。コリンズは一九八〇年代にデトロイトの荒廃したスラムから現れた音楽集団、パーラメント／ファンカデリックの看板ベーシストである。

「浄瑠璃語りが打つ拍子木」と言っては逆にわからないかな。「言っておくが」と厳かな言葉を置いた預言者イエスが、いきなり断定的な箴言を語るのにも似ている。マルコムの重低音連射は体の奥深くから生命力を一気に噴き出させる。メッセージだけではない。この音声（おんじょう）が治安の敵とされたのである。こうした衝撃が現代のラップを揺さぶり続ける。

スピーチが行われた一九六四年とはどんな年だったのか？

もう半世紀以上前の昔話だ。北アメリカ史をサーベイしよう。

この年の一月、マルコムはフロリダでトレーニングするカシアス・クレイ（ムハマド・アリ）を訪ねる。家族で微笑む二人のポートレートが残されている。さらにかねてマルコムが教主イライジャの腐敗を指摘していた「ネイション・オブ・イスラム」と三月八日に決別。新しい宗教組織「ムスリム・モスク・インク」（MMI）を立ち上げる。黒人社会は緊張し議論は沸騰した。ballot or bulletは一か月後、その渦中で行われた演説である。

演説から一〇日後の四月一三日には二度目のアフリカ・中東への旅に向かう。アフリカ各地は独立運動に沸いていた。聖地メッカに巡礼し一か月後に帰国すると、六月二八日には「アフロ・アメリカン統一機構」（OAAU）を設立する。OAAUはアフリカ大陸とカリブ、南北アメリカを結ぶ有色人種の政治運動である。さらに七月には運動を代表して三回目のアフリカ行に出発した。

一気呵成である。この動きの中で翌一九六五年二月一四日、ニューヨークの自宅に焼夷弾が投げ込まれる。ハーレムで演説中のマルコムXが射殺されたのは、一週間後の二月二一日である（荒このみ『マルコムX　人権への闘い』岩波新書より）。

一九六四年春は連邦議会で公民権法の審議が行われていた時期だ。だが殺されたケネディを継いで大統領になったジョンソンは、選挙で公約したにもかかわらず法案の議決を引き延ばし続けた。南部民主党の圧力である。これでは黒人たちの投票権は保証されない。こうした局面でballot or bullet「投票か銃弾か」というrhymeが連射されるのである。

そのマルコムが投票によってではなく弾丸で倒されたことをどう捉えるのか。

街頭で最も危険な人物を殺して、議会で公民権法を通す。法案が成立したのは七月四日。武装したブラックパンサー党はこれに対する一つの答えである。ブラック・ライヴズ・マター以来、この問いが形を変えて甦ってくるのである。

一九六四年は一九六八年の爆発を用意した年だ。アメリカ軍は北ベトナムのトンキン湾を爆撃する。列島でも東京オリンピックの傍らで日韓基本条約が準備され、都心の私立大学では学費値上げ反対闘争が起き、三派全学連へ向かう年である。

憎悪を腑分けする

だが、と誰もが思うに違いない。

二〇二二年は一九六四年ではないし、奈良の大和西大寺がクリーブランドやハーレムのわけはない。

ましてyをマルコムXに比較できるはずがない。

殺した者と殺された者。

そりゃ無理がある。

七月八日の事案にballot or bulletを思い出す?

こんなヤツの頭の中は時空がねじ曲がっているとしか思えない。


yのtwitterはフォロワーただ一人。

まずその孤独な叫びを聞いてみたい。

なによりも、異教集団によって堕とされた彼ら家族兄弟の無惨な半生がある。


「チョゴリがヘイトクライムで着れない」などと「チョゴリを着る子供=朝鮮学校学生=世界最悪の人権弾圧・独裁体制の積極的支持者の子息」という問題を単なる差別問題にすり替える事がどれほど罪深いことか。「レイシズム」「ヘイト」などという連中は絶対に分からない。

だから燃える。燃え続ける。 https://t.co/nnBwr4xQdZ

@rennge_nekokai　いや在日はまだしも、チョゴリ着たら炎上するってナチのコスプレしたら叩かれるのと同じだよね。世界最悪の非人道的独裁国家が指定するから着てるんだよね、朝鮮学校の学生は？子供の責任ではない？子供利用して示威行動してるんだよね？ Dec 01, 2020

朝鮮学校の学生に理解も思いやりもない？　キミらはナチのコスプレする人間を理解しようとしたのかね？ヒトラーの生い立ちに涙の1滴でも流してやったのかね？しないよね。　Dec 01, 2020

殴り書きのように飛躍したツイートを読み砕いてみたい。

統一教会への憎しみは初めから韓国・朝鮮人全体へ転化される。ｙによると、拉致実行者は北朝鮮の人間たちすべて。朝鮮人たちの「慰安婦」特別視は日本人「慰安婦」を隠す陰謀だ。古からどこの軍隊でも続く慣習にすぎない。したがってあらゆるコリアンたちの抗議は的外れ。北の独裁国家はナチスに近い。人道から外れている。だからヘイトされるのは仕方がない――。

二〇二〇年一二月のこうした書き込みをストレートに読めば、ｙはむしろ黒人たちを襲う白人ヘイターたちの立場に近いのである。

白人ヘイターたちによれば、アフリカの黒人たちは野蛮人。だから奴隷にするのはむしろ文明化だ。その恩義を忘れた反抗は理由のない暴力。黒人たちは先天的に無能で犯罪と薬物に耽るしかない。したがって投票用紙も職もなく、命が軽いのは神の恩寵だ――。

コリアンとアフリカ系に対する植民地主義を顧みない者が逆恨みする論理の道筋は同型である。その根にあるものを見ない。引き剝がされ異郷で奴隷として生きるとはどういうことか。一人ひとりの眼や顔の艶や慄き、手足が示す独特の表情が眼に入らないのである。だから黄色い下層は白い下層のように逆恨みできる。さらにコリアンたちが暮らす街、そこに覆いかぶさる国家。集団と人一人との区別もつかない。

母が帰依する統一教会の人間だけが見えている。苦しみとともに教祖の肖像は偏在化する。虚像はいくらでも膨張する。半島人すべてを憎悪する。誰もが知るように宰相だったaはこうした傾向を先導し、かつ扇動し、さらに使い倒した人物である。

だが大量のツイート一つひとつに眼を凝らそう。

おそらくyは鶴橋や川崎で起きたヘイト行動に一度も加わっていない。それらの街に統一教会の信者がゼロとは思わないが、その実態は公表されていないだろう。ともかく今のところそれらの街へ彼が向かった形跡はない。ヘイトする理由は異教集団による全人生の崩壊である。彼の体はあくまでその怨みから動かないのである。

まずyには、韓国から来たラッパーMoment joon がライブで投げかけた言葉を捧げたい。
「7月8日 君は言った〝日本は今暴力の季節〟。でも誰かにとってはとっくの前からそうだった――って言ったら君は驚いて気絶」 2022年8月27日

だが憎悪する内臓に踏み込もう。
ツイートを投げるyの立ち位置がズレていく。
この三か月後の二〇二一年二月にはこんな風に呟く。

安保闘争、後の大学紛争、今では考えられないような事を当時は右も左もやっていた。その中で右に利用価値があるというだけで岸が招き入れたのが統一教会。岸を信奉し新冷戦の枠組みを作った（言い過ぎか）安倍が無法のDNAを受け継いでいても驚きはしない。https://t.co/mp9s4wjUvh Feb 28, 2021

九〇日でaへのシンパシーは揺らいでいる。
この間にCovid-19は列島を蹂躙し、yの資格を生かせる仕事は枯渇する。

ａによってめぐらされた経済施策の煙幕はとうに吹き飛んでいた。関西圏に生まれ育った彼は釜ヶ崎に足を向けない。流浪もしない。一九六八年のｎ（永山則夫）も山谷に行かず、下丸子の洗濯屋の住み込みや歌舞伎町の喫茶店のボーイで凌いだ。理由はガタイの貧弱だろう。ｎの身長は一六〇センチ足らず。ｙも一六六センチだが、土木建設業界の姻戚に囲まれて育ち、進学校で工学畑を目指した。自衛隊勤務に耐える体力もあるが、技術者のプライドが日雇いたちの街から遠ざけた理由ではないだろうか。この「階級」を押さえたい。この階段を彼は降りていくのである。

ｙの言葉には一定のリテラシーを感じる。彼のシンパシーは「漢字を読めないａ」に対する「オレもそうだが何が悪い」という逆立ちした共感とは感触が違うのである。少なくとも戦後史や新冷戦への言及には自分の主張を遠くから見る契機がある。

リベラルの高慢は罪深い。

二人いる世襲政治家ａたちは愚かさを売り物にするタレントだ。ａを愚弄すればするほど、すぐ傍で我が事のように苦々しい思いで聞く者たちがいる。そのことにリベラルたちは気がつかないのである。これがジョーカー的事態である。

しかしｙにとっては、むしろ「正義を独占する傲慢」が我慢ならない。このかすかな違いが、彼を有象無象のネトウヨたちとは別の道に誘うのである。

行き着く先は中小企業と個人事業主の乱立、つまり現代日本。全国民が株と投資で儲ければ誰もやりたがらないが不可欠な仕事が最後に残る。誰もが夢を実現すれば世界と社会が崩壊する。それが資本主義なんだよ。 https://t.co/Ow8flKKnrQJan 26, 2022

タワーに住むＩＴエリートと人力で物を動かす地表のエッセンシャル労働者たち。宅配ボックスの沈黙交易。支払いは電子のルートを通る。贈与互酬の世界とはかけ離れた現代の交換様式である。新自由主義のデストピアがようやく視界に入ったといえる。

私怨有理。

この憎悪の底まで潜り、どこへ突き抜けるか。
狙撃八日前、最後のツイートではこう言う。

RT @fmn_fq: 人生、マイナスからのスタートをどうにか０に戻すのに必死になってるだけ
Jun 30, 2022

アノニマスからジョーカーへ

しかしそれでは終わらない。

「大和西大寺の変」を惑星史の空間に引き出そう。

奈良の暗殺は、ファノンの「黒い皮膚」からアノニマスの「無名者たちの仮面」へ。さらにジョーカーの「肉と化したマスク」が列島に現れる、その出来事の始まりなのである。

急いで二一世紀の時間を遡ってみよう。

一九九九年春からのシアトルの闘いに始まり、二〇一一年の惑星的叛乱から続く動乱は大きな蛇行を繰り返していく。

ギリシャ急進左派シリザがユーロ新自由主義に屈服する。カタロニアやスコットランドの自立への胎動。世紀を超えて記憶に刻みつけるべきは、一九九二年に始まるサパティスタの長い持続がロジャヴァの新たな勃興を呼んだことだ。さらに黄色いベストや香港島の反乱をはじめ、各地で「旗のない闘い」が起きる。

こうした雑色の蜂起への反応としてトランプ主義が企画される。その流れが欧州の極右運動を活性化させていく。アジア多島海域での中国の帝国主義化に加えて、チェチェン内乱で露出したロシアの帝国主義はウクライナに侵攻する。これに対してアメリカとＮＡＴＯが支援するユダヤ系大統領の政権が親ナチ派を抱えて戦う。パレスチナの孤闘が終わることはない。事態はますます混濁していく。

一方では、この全体に抵抗する南米大陸の再左翼化やアメリカやフランスで左派が再登場する兆しもある。しかしこれはまだ大きな解答とはいえないだろう。二〇一一年のブラック・ブロックたちは今どこにいるのか。この「解答」へ向けた遠大な思索の一端を荷ってきたデヴィッド・グレーバー（後にマイク・デイヴィスをも）喪ったダメージは大きい。

ブルックリンの裏街を描いた映画『ジョーカー』はこのカオスをよく捉えている。ラストシーンで起きる暴動がトランプ派の議会襲撃を予感し、フェイクに酔う者たちがジョーカーを模倣したように映じるのは避けられない。加えて、重要なシーンでフランク・シナトラの曲が流れるとき、観る者はこの作品とジェイムズ・エルロイの極悪小説との類縁関係を影絵によるように感じ取るのである。

だがマーチン・スコセッシが当初この企画にかかわり、その盟友ロバート・デ・ニーロがＴＶの司会者として重要な脇役を演じているのも事実である。スコセッシ監督、デ・ニーロ主演の『タクシー・ドライバー』（一九七六年）でも主人公は明らかに政治的左右上下の臨界で暴発する男だ。この構図が『ジョーカー』でも反復される。四五年間で社会はネット空間に拡張されたのである。

長谷川町蔵の優れた映画論「ジョーカーはなぜシナトラを口ずさむのか?」（udiscovermusic.jp）は多くのことを教えてくれる。

（監督の）フィリップスは皮膚感覚で分かっているのだ。多くの場合、犯罪とは〈絶対悪〉に魅入られた人間が起こすアートなどではない。社会に見放された人間がやむ無く法を犯すことで発生するものだと。こうした想いがそれまで前者（これまでのジョーカー映画）的な犯罪者の典型とされてきたジョーカーを、社会の被害者として描く原動力となったのだろう。

さらにシナトラが歌うThat's Lifeの歌詞を引くのである。

夢を踏みつけて小躍りする奴らがいる／でも俺はへこたれない

ジョーカーの尖った絶望はトランプ派の腹を貫いて牙を剥き出しにしている。

トランプは大ぼら吹きの不動産富豪であり、中南部の貧乏トランピストたちはその幻覚に中毒した。彼らと違ってジョーカーはトランプ・タワーの直下で蹲る敗者なのである。眼の前にリアルな絶対的貧富がある。監督のトッド・フィリップスは実際にブルックリン生まれ。スコセッシはクイーンズ、デ・ニーロはマンハッタン島のグリニッジ・ヴィレッジである。ゴッサムシティの敵はスーパータワーの最上階にいる。ニューヨーク映画人の意地というべきだろう。

それでも仮面は肉に喰いこんでいる、と私には見える。燃え上がる暴動のラストシーンで、ジョーカーを演じるホアキン・フェニックスがカメラに向かって振り返る。その歪んだ笑いが肉を食む両義性そのものなのである。

監視するドローンの眼から「真の顔」をガイ・フォークスの仮面で隠したアノニマスの運動から、塗りたくったメイクが自分自身の顔相に溶けこんだジョーカーの時代へ。

私は遺伝子操作された抗ウイルス新薬二種を合計数か月間にわたって投与されその結果、自分の遺伝子がどう変異したのかわからないのである。当の主治医も詳らかにしない。さらに分子標的薬を服用した。私はこの一〇年をそういう生体変異の時間として受け取ってきた。ジョーカー的事態はこういう生体技術的な地殻変動の中で起きたことだ。

yもこう呟く。

考えてみりゃ世の中テロも戦争も詐欺も酷くなる一方かもしれない。信じたいものを信じる自由、信じるものの為に戦う自由。麻原的なものはいずれ復活すると思う。それがこのどうにもならない世界を精算するなら、間違ってはいないのかもしれない。人は究極的には自分が味わった事しか身に沁みないものだ https://t.co/ylhcuheCmE Jun 23, 2022

一三六三件を数えるyのツイートにジョーカーの名は一七回も出てくるのである。その果てに決定的なセリフが吐かれる。

ジョーカーという真摯な絶望を汚す奴は許さない。 Oct 19, 2019

yの散弾は、こうして惑星的動乱の前面に現れたのである。

紙と錘

さて忘れちゃいけない。ballot or bulletだ。

銃撃者がTwitterに残した断簡の中で音楽に少しでも触れたものは四件だけである。なぜか黒人音楽は一つも出てこない。斉藤和義、鬼束ちひろ、ボブ・ディランにそれぞれほんの一言。そして、ただ一曲だけが特別だ。こんな呟きが残されている。

今日は朝からずっとこれを聴いている。いずれ日本も革命的な何かが起こると思う。Jan 22, 2022

「これ」とは映画『レ・ミゼラブル』(トム・フーバー監督)の一場面で歌われるLook Downという曲である。

激しい濁流に逆らって、水浸しになりながら大綱を引かされる囚人たちの姿がスクリーンに大きく映る。防波堤の上から監視する役人たちに向けて怒号する歌だ。

「下を見ろ! お前たちの足元にいる貧乏人たちを見ろ!」

ヴィクトル・ユーゴーの小説はフランス革命を反芻する。

ナポレオン一世の没落から復活したブルボン朝を倒した七月革命とその敗北へと続く内乱を、

街の人びとの眼で描いたものだ。その先にパリ・コミューンがやってくる。かつてマルクス派はこれを三色旗から赤旗への階級闘争の道として語った。しかし今ではパリのコミューンでさえ、フランス人労働者によるナショナルな蜂起として語る傾向が現れている。三色旗から三色旗へ。これでは墓の中のブランキが激怒するだろう。赤か三色か、それとも黒か。ジョーカー的局面は一五〇年前のバック・トゥ・ザ・フューチャーでもある。

ではyが呟く「革命的な何か」とはなんだろうか?

マルコムXは比喩に巧みだった。

ballot or bulletは「投票か銃弾か」という意味だけではない。

法的な投票行為を表すvoteと違い、ballotは投票用の紙そのものを指す。一方bulletの元の意味は小さな金属の塊、釣りの錘でもある。そこから弾丸という語彙の襞が生まれた。マルコムの言葉は二重三重に輻輳する。そして彼は協和し不協和するときの跳躍力を熟知している。ハスラーと呼ばれたころ、ヤクの売人や詐欺師として多くの修羅場を踏んできたからだ。銃やナイフを帯びてぶつかり合う者の言葉と心理。その複雑怪奇な裏表を知り抜いていなければ、一瞬でこの命がどうなるかわからないのである。

つまり彼がballot or bulletとbを連弾するとき、「議場に舞う紙」と「海に投じられる錘」の不協和音が混然となってビートされるのである。

「投票とは自由を意味する」（前掲『アメリカの黒人演説集』、三〇六頁）。

「投票は弾丸（鍾）のようなもの。ターゲットを見据えるまでは投げてはいけない」（同書、三一〇頁）。

これらの言明は、ballot or bulletが互いに排他的な二つの選択肢ではなく、重なり合いズレて交差する含意を湛えていることを教えてくれる。さらにこうも述べている。

「ここからわれわれはどこへ向かうのか。最初に必要なのは友人だ。新しい同志が必要だ。公民権闘争はまったく新しい解釈を必要としている。別の角度から見なければならない。内側からだけでなく外側から」（同書、二九八頁）。


国内人種政治ではなく世界変革の眼で見る。

「政治平面を一新する」――とはこういうことだ。

yが放った散弾は列島の政治に穴を開けたのである。

鉄の錘が保つ重量のままに、私たちはそれを受け止めるべきである。

yは私たちの隣人である。


（二〇二二年九月）

晶篇1　夏の散弾

邪鬼の眼

　ＪＲ奈良駅から五キロほど西へ行った勝宝山西大寺は、七六五年に創建され現在は真言律宗の総本山である。建立に際しては僧・道鏡の力が大きく、その名の通り東大寺に伍する大伽藍になるはずが、高僧の追放でそうはならなかったという。華厳宗大本山東大寺から歩いて一時間半ほど、奈良観光の射程内ではある。

平将門や足利尊氏と並んで皇位を襲った「日本三悪人」の誉れ高き弓削道鏡については、坂口安吾や黒岩重吾が小説に書いているようだ。なかなか探せないでいるが、巨根伝説に彩られた怪僧の生涯は作家たちの綺想を誘発するところがあるらしい。

現在の西大寺には道鏡の威光など感じられない。創立以降一二五〇年余りで何度も炎上、衰退しては再興が繰り返された。足を延ばしても、平城京の西の端にある、大振りだがいささか地味な密教古刹である。あまり顧みられないのはそのためだろう。

本尊の四天王像に踏みつけられた邪鬼が面白い。この鬼神部分だけが創建当初のもの。とりわけ増長天である。剝き出しの巨大な眼球、反り上がる鼻、喰いつくような大口。髪も眉も唇も野太い。四天王を斜め下から見上げている。これは道鏡が遺した妖気なのか。東大寺や興福寺や東寺に這いつくばるそれより、はるかに陽性で叛逆的な力に満ちているのだ。

大和西大寺駅は近畿日本鉄道三線が南北に交わる十字路にある。奈良橿原から京都宇治や大阪難波に通じるこの北口駅前で、今年の盛夏七月八日に手製銃器から二発一二個の散弾が発射され元宰相が屠られる。すでに四か月。この地を覆った妖雲をこういう邪鬼の眼から見たい。鎮護国家の守護神から重靴で足蹴にされる鬼たちには、二五〇メートル先に漂うこの暗殺者の残影がどう見えているのか。被弾者aと違って邪鬼に花を捧げる者はいない。これは私の妄念である。

暗殺者と皇

怪異な邪教による政治支配。二世救済。国葬芝居。いずれのテーマも重要であることは間違いない。だがここでは暗殺者が綴った皇をめぐる呟きに集中したい。一三六三件に上るツイートに目を通し、さらにリツイートや反論する元を遡る。その作業は眼精疲労や背筋鬱血の極みだ。彼が抱え込んだ「私怨」と「鉛の魂」さらに「階級」について、そうやってすでに三点六〇枚も書いている。それでもなお消えた一発六個の散弾が、私の体の中心部に今も沈み込んでいくのである。

暗殺者のヘイト言説は一つ残らず「統一教会＝韓国人＝朝鮮半島」という短絡に根を持っている。それを擁護すると見なしたリベラルや左派、特権的とみなすフェミニストやＬＧＢＴＱへの憎悪は、そこから伸びた枝や葉にすぎない。その Twitter 内を検索すると「天皇」という言葉は二三回ほどヒットする。「ジョーカー」が一七回だから、単純ヒット数は「天皇」のほうが多い。だがそこに以下のような重みはない。

ジョーカーという真摯な絶望を汚す奴は許さない。 Oct 19, 2019

列島の皇はあくまでも統一教会との関係の中でのみ語られるのである。

神道（つまり天皇制）と統一教会は絶対に相容れない。韓国語が英語に変わる共通語になると豪語し手前味噌の天皇代理に臣下の礼を取らせて「救ってやった」と悦に入っていた朝鮮民族主義の極右である統一教会は全世界の敵であり、当然日本の不倶戴天の敵でもある。 Oct 13, 2019

ここでは「統一教会は神道や天皇制の敵、ひいては日本の敵」という連鎖が読み取れるだろう。ところが翌日には、もうこんなことも呟く。

大日本帝国が大戦時に皇民化教育として行った天皇と日本民族の絶対化を模倣し、統一教会は韓民族の絶対化を行っているのである。北朝鮮もまた別種の大日本帝国の模倣である。大日本帝国は世界を相手に戦って滅んだが、彼らが滅びるのはいつであろうか。 Oct14, 2019

末尾の一文には賛同しないとしても、前段の要旨に反対する気は私にはまったく起こらない。彼の中で北朝鮮は天皇制のコピーなのか。となると天皇のいる日本は北朝鮮のオリジナル？　あまつさえ一〇か月後には、以下のようなリツイートさえ現れる。

RT @kikumaco: 天皇家は万世一系だの男系だのというのは科学的事実ではなくて「物語」なんですよ。物語を重視するという立場はありうるんだけど、科学的事実ではないことはちゃんと押さえておくべき。そして、それは必死に守らなくてはならないものでもないでしょう。
Aug 24, 2020

リツイートは無条件の賛意ではない。しかし前後にこれを指弾するような呟きは見当たらない。つまり少なくともこの意見への共感の表明といえる。「必死に守らなくてはならないものでもない」。むしろかつて属した海上自衛隊への非難や、男性単身者に対する蔑視と感じられる言説が耐えられないのである。要するに暗殺者の中では、「統一教会＝韓国朝鮮人」に対抗する形で「日本国家＝天皇制」の膨張と美化はさして生じてこない。そこには言説の太い幹が育っていないのである。

暗殺者は「考えないネトウヨ」ではない。大阪拘置所の中でこの先のなにごとかを思案していることだろう。

私怨の行方

片山杜秀は、七月八日に始まる世論の展開を大略こう捉えている。

――国葬不支持率の高さは、戦後民主主義的な「平和天皇」の存在によってもはや中和されない「真の指導者」「真の独裁者」「真の将軍」、つまりこれまで愛国者が仮託してきた安倍晋三のイメージを、今度は裏切らずに未来へと続けてくれる新しい人が出てくることを待望している。岸田や既成保守では満足できないのである。そういう人たちの数字が入っていないと、この反対の数字は出てこないんじゃないか。天皇抜きのファシズム的な愛国運動が誕生できる段階に日本は立ち至っている。

（二〇二二年九月一九日、東京大学駒場シンポジウム「国葬を考える」より要旨）

安倍を倒した暗殺者が発する言葉の蛇行にもこういう要素がないわけではない。しかし片山がいう「将軍的欲望」というより、それは「ジョーカー的欲望」である。

　トランプを押し上げた「ジョーカー的事態」はついにこの列島に上陸したのである。しかし皇への崇拝はほんとうに後景へ退いていくのか。

　征夷大将軍は律令制の法外に新設された令外官（りょうげのかん）である。古代中国で「律令」とは儒家の徳治と法家の法治による二元論的な統治制度を指している。すなわち仁政と武威。皇帝はこのガバナンスが機能しない内乱外寇に直面したとき、征夷大将軍を任命するのである。列島国家だけが東アジア圏でこれを改制模倣したという。いずれにせよ朝廷に任命権があり、これを支える職名である。明治と昭和の皇は自ら将軍になった稀有の例である。皇信仰がその根幹にあることは動かしがたいのである。


「君が代」を口にしない者が多数派になる日は来るのか。

　一つだけはいえる。yは二発一二個の散弾によって標的以外の誰一人として傷つけなかった。それは、苦しみながらも銃撃者が密かに養った「義と技」ではないのか。彼は非正規労働者の一人である。その意味で、暗殺者は私たちのありふれた隣人なのである。彼の私怨はどこへ向かうのか。それは私自身への問いである。


（二〇二二年一二月）

晶篇2　鉛の魂

七月八日の散弾

七月八日に奈良の大和西大寺北口駅前で起きた事案から三か月が過ぎた。

「事案」という警察機構の言葉をあえて使いたい。そこには冷酷な眼差しがある。治安中枢にいる者たちは人びとの動静をどこか絶対温度のように測っているのである。その眼力をまず意識しておきたいと思う。

山上徹也がやったことについては「昭和ファシズム」との類推や「生きづらさ」の文脈、あるいは「カルト教団の洗脳」といった定性的な語られ方が今も続いている。いずれの論点にも間違いなく根拠があるだろう。しかし記憶消耗のスピードはますます加速している。こうした議論だけでは、大量の被害者と陰に隠れた者たちを残したまま、時間とともに冷却してしまうことを免れないのである。政治警察は社会表面の温度変化を誘導する術を長い間にわたって蓄えてきた。

問題は「散弾」である。

この鉛の粒を社会の底に沈めよう。

元宰相の左上腕部を貫いた一発六個の玉が、鎖骨下の動脈を破って大量の血液を奪ったと、奈良県警の司法解剖報告は言う。じつはもう一発、まだ見つかっていない弾がある。そして大和西大寺の駅前で消えた残る散弾六個については、いつの間にか報道が途絶えてしまうのである。

一三六三件を数えるツイートの中で山上はこう呟いている。

RT @kyo_seyama: 千の言葉より一発の銃弾、運命を従えるのは力 Nov 13, 2019

決行の三一か月前である。フォロワーがただ一人しかいないツイートは、いったい地球上のどこへ沈み込んでいったのだろうか。しばらくして、この片言隻語はたしかに散弾に姿を変えたのである。

鉛になる

彼が残した言葉には凡庸といえば凡庸なヘイト感情が連山のように積み重なっている。統一教会への憎しみという根から、あらゆる方向への罵倒の枝が伸びていく。半島の二つの国家とそこで生きる人間たちは区別がつかない。在日する人びと、フェミニストやリベラル、左派的言論への悪罵も尽きることがない。

しかし、どこか言葉の幹がへし折れているのである。

人文系諸学を侮り、工学技術者としてのプライドが芽を出しては枯れてしまう。それでも分析的思考への憧れが頭をもたげる様子が痛々しい。そのすべてに目を通し、リツイートの元を探りながら、条件反射のように瞬発的な思考の揺れを追うのは、体の芯に疲労を溜め込む作業である。それでもときおり悲鳴に近い言い方に立ち止まる。だから二か月にわたりこの事案について二編五〇枚近く書いても、まだ大脳に微熱が残っている。

事案勃発の一年前には、こんな言葉さえ書き込まれた。

この国の政府が人民の幸福の為に存在した事は有史以来一度もない。明治においては列強に劣らない強国になるため、戦後においてはより強者だったアメリカの制度に順応するため。より強い者に従うために作られた政府がより弱者である人民の為に働く事を自ら理解する事は無い。Jul 05, 2021

本紙（『アナキズム』）の読者はこれをどう読むのか。

少なくとも二発一二個の散弾は標的以外の誰も傷つけていない。ここに私は暗殺者が苦しみながら養った「義と技」を強く感じている。ツイートの悪口雑言を超えた末期の姿勢、この「鉛の魂」に信を置きたいのである。ツイート画面の裏側をたどりながら、同時に消えた六個の行方を求める者には、こういう深海の底を流れるような水の温度が伝わってくる。

暗殺者の階級

山上徹也は事案直前まで、京都でフォークリフトを運転する仕事に就いている。これは「リフトマン」と呼ばれる特殊車両操作の免許を持っていることが採用条件。大阪の派遣会社から送られた非正規労働者の一人である。私には大きな印刷工場の裏に広がる下請けや製本屋で、狭い通りをカブトムシのように動き回るリフトを昼めし時に眺めていた一〇年間がある。彼はそんな工場で二度にわたりトラブルを起こす。緻密なマニュアル作業が苦手なガテン系への侮蔑を隠せなかった。その背景を倉庫会社の社員が話している。

——二〇二〇年、山上容疑者の採用面接を行った担当者は「毛並みが違う」と感じたという。「フォークリフトの運転手は体育会系が多い。その点、彼の立ち居振る舞いはホワイトカラーそのものでした」

(東洋経済オンライン「銃撃事件を引き寄せた「統一教会と家族崩壊史」」)

京都大学工学部卒の父親、母の父は建設会社経営。海上自衛隊呉基地の護衛艦砲雷科勤務の後に、測量士補、宅地建物取引士、ファイナンシャルプランナー二級、さらにフォークリフト運転者資格。エンジニアの家系でサラリーマン気質が身に染み込んでいるのは間違いない。非正規のどんな現場にもいる面倒なタイプだ。

自分の名を言わない。挨拶もしない。仕事の手順や伝達もなにも話さない。昼めしも一人。タバコもお茶もしない。とにかく仲間を作らない。職歴、学歴、出身地や家族の話などもってのほか。ここに妙なプライドが絡むとぶつかるのは必至である。

このサラリーマン根性を破壊しよう。こういう人間たちにいきなり突っ込みを入れては、怒らせる。差別野郎をくすぐり倒す。めし屋に連れていき、方言や癖、世代の流行り、音楽や盛り場をめぐるボケをかましては、あげく大笑いする。これが人と連るむ、組織するということの初歩ではないか。

右に行くのか、左に行くのか。黒か赤か、それとも褐色に染まるのか。ネオリベ成金か、貧乏アナキストか。左右いずれかのリバータリアンなのか。つまりその意味で、山上徹也はありふれた隣人なのである。事実、彼はこう呟く。


ジョーカーという真摯な絶望を汚す奴は許さない。 Oct 19, 2019

この「真摯な絶望」に「鉛の魂」が秘めた可能性がある。「ジョーカー」は今や惑星的なアポリアを示す表徴である。

散弾は私たちへの巨大な贈与だ。

この「義と技」こそ基盤的コミュニズムである。


（二〇二二年一〇月）

あとがき

海馬を鍛える。

これが本書のテーマである。

——塵芥から鉛へ。

この展開を私自身が奇妙に感じている。

二〇二一年一二月に最初のｎｏｔｅ連載をアップしたときには、事態がこう進んでいくとはまったく考えていなかった。なぜか京王線や小田急線の事件に摺りつぶされて舞い上がる粉塵が見えた。ところが女性たちの物語から「モーセの岩」が現れる。ヨーロッパに飛ぶと幼い「怪物」たちが苦しむ姿が浮かんだ。それがいきなり鉛の散弾に結晶するまでほぼ一年。舞い散る塵から鉛の塊が生じたのである。

この連載に取りかかる前の数年間で何度も死にかけて、大げさに言えば廃人に近づく。その前の一〇年くらいも鬱に近かったようだ。肝臓という肝心な場所を病むとはそういうことなのだ。それでもなんとか生き延びた。すると生きている時間と空間が妙に違って見えてくるのである。人が長く生きられるようになって、そういうリセットを経験する人たちが増えていると思う。

「若き日の革命」を「ドストエフスキーの罠」が回収する。

こういう回心は二〇世紀の世代にはありふれた経験である。こうなると人は「達観」のような言葉を口にする。世界はますます絡まり合って面倒になるばかり。せっかく与えられたわずかな残りの時間だ。静かな場所で心安らぐ日々を求めたくなるのも当然だろう。つましくともエコで趣味のいい生活がしたい――。

それとは違う径があるのではないか。

リセットというより「切断」だ。ぶった切ること。その傷口から己の時間を生き直す。この小径をたどって「ドストエフスキーの反復」から逸れていく。予後の時間の中で私はそう感じたのである。それができない友人たちが傍らにいる。アップロードより前に命脈がシャットダウンされる。そんな訃報が毎月届くようになった。だからこそである。彼らとともに生きた「荒ぶる左翼の秋」をもっと広大な時間と空間に投げ込みたいと思うのである。

こうして「海馬を鍛える」という発想が生まれた。

海馬は近時記憶と長期記憶を記銘する。つまり両方をつなげて脈絡を創り出す「記憶の司令塔」と呼ばれるらしい。そこで新たな「シナプスの長期増強」という現象が起きると、認識に構造変化が生じるという。自分たちが生きた時、後の人たちが生きる光景が一新されるのである。

書くうちに、どういうわけか「申命記」がしきりに現れる。『モーセ五書』のうち「申命記」は、紀元前一三世紀レビ部族の指導者モーセが率いた「出エジプト」の経験を、前七世紀の歴史的状況の中で追体験し再構成したものといわれている。つまり反復だ。モーセは苦しめられるヘブライ人同胞の姿に憤り、はからずも迫害者のエジプト人を殺した「義人」とされる。そこから始まる脱出と解放の物語がユダヤ、キリスト、イスラム信仰の根本に濃い滋養を与えた。それだけでなく、現代の黒人神学にもモーセの声は大きく轟いている。

しかし四〇年間荒野を彷徨った彼は、約束の地を前にして神に拒否されるのである。神に疎まれる義人。モーセは神に納得しない。この硬骨が最期のエドワード・サイードをして『フロイトと非―ヨーロッパ人』（長原豊訳、平凡社）を書かせたと思う。申命記はモーセが記したとされる五書の中心部に位置するのである。ここでも反復され反芻されることによって、支配から逸れていく説話が現れる。

三度目の手術から二年して、「生命力と運ですよ」と俊秀というべき若き主治医は珍しく月並みなことを言った。

このしごく当たり前な言葉がすでに何気ない唯物論的至言である。天から滴のように錐もみしながら落ちてくる生命の力。そこに「運」というわけのわからない因子が横からぶつかる。下から風も吹き上げる。どこにどう飛んでいくか誰にも見通せないのである。

さて「私怨」と「義」と「基盤的コミュニズム」。

私が辻を折れて下っていった坂の先には、そんな言葉が転がっていたのである。

「鉛の魂」はどこへ向かうのか。

（二〇二三年三月）

平井玄（ひらい・げん）
一九五二年生。文筆家。音楽・思想・社会等幅広い領域を独自の感覚で論じる。早稲田大学文学部抹籍。早稲田大学文学部非常勤講師を経て、東京藝術大学の非常勤講師など。
八〇年代よりジャズを中心とする音楽の批評やプロデュースをはじめ、映画『山谷　やられたらやりかえせ』やパレスチナ音楽の紹介、フリーター運動など、様々な社会運動に携わる。現在も新宿に在住。
著書に『ミッキーマウスのプロレタリア宣言』（太田出版）『千のムジカ』（青土社）『愛と憎しみの新宿』（ちくま新書）『彗星的思考』（平凡社）『ぐにゃり東京』（現代書館）など。

鉛（なまり）の魂（たましい）
ジョーカーから奈良の暗殺者へ――怨みが義になる

2023年4月20日 第1版第1刷発行

著　者　平井　玄
発行者　菊地泰博
発行所　株式会社 現代書館
〒102-0072 東京都千代田区飯田橋 3-2-5
電話 03-3221-1321 ／ FAX 03-3262-5906 ／振替 00120-3-83725
http://www.gendaishokan.co.jp/
印刷所　平河工業社（本文）　東光印刷所（カバー）
製本所　積信堂
カバー絵と装幀　竹中尚史
編　集　福田慶太

校正協力・高梨恵一

ISBN978-4-7684-5936-2

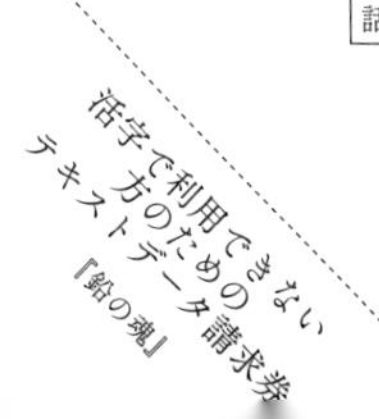

現代書館

平井玄 著
ぐにゃり東京
アンダークラスの漂流地図

派遣フリーターとして都内の出版社や印刷所で働きながら目にした21世紀の底辺社会、そこに生きる下層民たちの実態を浮き彫りにする。新宿で生まれ育った著者の軽妙な筆致で、経済成長によって生じた「歪み」を都市の記憶とともに描く。 2200円＋税

矢部史郎 著
夢みる名古屋
ユートピア空間の形成史

名古屋とはいったい何か？　茫漠として捉えようのない工業都市、その姿をえぐる都市論。右派労働運動の拠点となり、管理教育の本場としても名高く、一方で俗に「巨大な田舎」と呼ばれる、といった名古屋の形成史と構造をみる。 1800円＋税

グアダルーペ・ネッテル 著　宇野和美 訳
花びらとその他の不穏な物語

「すべての人間はモンスターであり、人間を美しくしているのは、私たちのモンスター性、他人の目から隠そうとしている部分なのです」現代メキシコを代表する作家グアダルーペ・ネッテルの世界観全開の短編小説集。 2000円＋税

佐藤幹夫 著
津久井やまゆり園「優生テロ」事件、その深層とその後
戦争と福祉と優生思想

事件の発生した「重度知的障害者入所施設」が戦後福祉の宿痾であることを歴史的に論じ、裁判がなぜ「植松独演会」と化したのかを、供述調書や傍聴記録の分析を通して描き出す。新自由主義や合理化に伴う犯罪の性格の変容を詳述。 3200円＋税

荒井裕樹 著
凜として灯る

一九七四年四月二〇日、東京国立博物館で開催の「モナ・リザ展」公開初日、「モナ・リザ」にスプレー塗料を噴射した女性。彼女は連行される警察車両の中で笑いが込み上げる。緊張と、落とし前の達成感で。女として障害者として生きる足跡。 1800円＋税

布施えり子 著
キャバ嬢なめんな。
夜の世界・暴力とハラスメントの現場

キャバクラ。一見華やかな夜の世界だが、そこには女性を苦しめる出来事が掃いて捨てるほど存在する。賃金未払いは当たり前、セクハラや暴力が横行する世界に対する怒りと闘いのための一冊。さまざまな偏見に苦しむキャバ嬢の日常を活写。 1300円＋税

定価は二〇二三年四月一日現在のものです。